MW01075856

Albert Memmi

Portrait du décolonisé

arabo-musulman
et de quelques autres

ÉDITION CORRIGÉE ET AUGMENTÉE
D'UNE POSTFACE

Gallimard

Je remercie Agnès Guy, Henri Lopes, Afifa Marzouki, Alicia Duvojné Ortiz, Sabia Samaï qui m'ont fait bénéficier de leur vigilante lecture en ce qui concerne l'Afrique noire, le Maghreb, l'Amérique latine et les banlieues.

Et surtout Pierre Maillot, dont les amicales suggestions m'ont été particulièrement profitables.

PRÉSENTATION

Rarement j'ai eu si peu envie d'écrire un livre ;
à cause du sentiment pénible que mon propos
risquait d'être inaudible ou perverti ; d'ajouter
peut-être aux difficultés de gens encore fragiles
et qu'il faut continuer à défendre. Mais j'ai
pensé tout compte fait qu'il était urgent que
les ex-colonisés entendent une autre voix que
celles de leurs faux amis. Lorsque, dans les
années 1950, je rédigeai le *Portrait du colonisé*, je
savais que certains de mes lecteurs ne me sui-
vraient pas. Les libéraux par exemple, tel le très
estimable Pierre Mendès France, qui pensaient
que les réformes nécessaires enfin octroyées, les
colonisés renonceraient à l'indépendance ; ou
les marxistes qui soutenaient, à leur habitude,
que la décolonisation consistait surtout en
une revendication économique. Je croyais qu'ils
avaient tort, que l'affaire était plus complexe.
Je m'attendais à heurter une autre partie de
l'opinion, celle qui défendait la pérennité de
la colonisation ; mais cette partie, outre qu'elle

se trompait, il ne me déplaisait pas de la heurter. Je me consolais de tant de probables malentendus en m'assurant que j'obtiendrais au moins la pleine approbation des dominés; ce qui fut le cas. En rédigeant ce *Portrait du décolonisé*, je crains de déplaire à tout le monde. Que de fois m'a-t-on suggéré, sur le ton de l'ironie ou de l'attente sceptique, de m'atteler à dépeindre ce que le colonisé est devenu. Sous-entendu : n'allez-vous pas devoir convenir que vous avez fait fausse route? Et certes, il m'est arrivé, sur tel ou tel point, de me poser la question; mais ce n'était pas cette appréhension qui me faisait hésiter. Il fallait, me semblait-il, donner davantage ses chances au temps.

Quelques décennies sont maintenant passées; il est enfin possible de faire un bilan, pertes et profits, et peut-être d'en tirer quelques indications pour l'avenir.

Disons-le tout de suite : loin de mésestimer les fruits de la liberté conquise ou reconquise par les peuples, il faut au contraire en souligner les insuffisances encore actuelles. Les libérations nationales ou ethniques étaient légitimes et urgentes comme celle des femmes aujourd'hui. Mais s'il faut continuer à œuvrer pour que toutes les nations, jeunes ou vieilles, toutes les minorités obtiennent enfin une place égale et digne au milieu des autres, il est non moins nécessaire, pour cela même, d'examiner pourquoi ces dures batailles n'ont toujours pas donné les résultats espérés. J'avais clos le *Portrait du colonisé* en annonçant que : « Toutes ses dimensions reconquises l'ex-colonisé sera devenu un homme comme les autres » ; mais je suggérai aussi : « avec tout l'heur et le malheur des hommes bien sûr ». Il faut bien constater que le malheur y a encore une grande part.

Dans les premières années des indépendances, des observateurs attentifs et bienveillants s'inquiétaient déjà des persistantes misères et carences des ex-colonisés ; cinquante ans après, rien ne semble avoir vraiment changé, sinon en pire quelquefois. Leurs diagnostics portaient surtout sur l'Afrique noire ; il est patent maintenant que la majorité des États arabo-musulmans, de ceux de l'Amérique latine, y compris ceux qui disposent de ressources suffisantes, ne vont guère mieux ; en dépit de l'enrichissement spectaculaire de quelques-uns, la malnutrition sinon la famine, d'incessants drames politiques secouent également de nombreux pays asiatiques. Presque partout règnent la corruption et la tyrannie, la tentation permanente des coups de force qui en résulte, le poids des traditions qui corsètent les esprits, la violence faite aux femmes, la xénophobie et la persécution des minorités : on n'en finirait pas d'énumérer les plaies toujours purulentes qui accablent ces jeunes nations. Pourquoi ces échecs ? Quelles en sont les conséquences sur la physionomie et les conduites de l'ex-colonisé ? C'est à ces questions que tente de répondre ce portrait du décolonisé contemporain.

Pas plus que le *Portrait du colonisé*, cet ouvrage, qui par certains côtés en est le prolongement, n'est un pamphlet ou une utopie. Sauf dans les dernières pages, qui envisagent quelques perspectives d'avenir et sont présentées comme des hypothèses, il s'agit d'un constat. Il veut décrire une réalité nouvelle, celle de ces hommes qui furent des colonisés et qui ne le sont plus, ou presque plus, qui continuent quelquefois à se croire tels, et qui sont apparus sur la scène de l'histoire.

Comme précédemment, le modèle qui m'a servi de référence est l'Arabo-musulman, et plus précisément le Maghrébin. Simplement parce que c'est celui que je connais le mieux ; étant né, ayant grandi au Maghreb, y ayant conservé, malgré les difficultés de l'heure, des attaches et des amitiés définitives. Certes, également, parce qu'il pose actuellement le plus de problèmes au monde. Mais j'ai fait appel aussi souvent que possible à d'autres expériences et tenté des comparaisons, avec les Africains noirs en particulier, les Américains du Sud et les Asiatiques. Ce serait mentir que, ce faisant, je n'espérais pas que la plupart des décolonisés s'y reconnaîtraient, partiellement au moins. Non que chacun n'ait ses spécificités. Les décolonisations de l'Amérique latine ont déjà eu lieu depuis le début du XIXe siècle ; les habitants actuels de ce continent sont largement métissés et souvent les descendants des colonisateurs ; ils sont chrétiens, d'où l'absence du problème religieux, comme dans une partie de l'Afrique noire ; les Noirs, outre la colonisation, ont subi l'esclavage ; l'Afrique francophone ne coïncide pas avec l'Afrique anglophone. Cependant, d'une manière plus générale, j'ai tendance à penser que les mécanismes qui régissent les décolonisations, comme ceux qui régissaient les colonisations, sont, par-delà les particularités locales, relativement communs. C'est pourquoi j'ai conservé l'expression *tiers-monde*, même si l'on a tendance à la remplacer par *Pays du sud*, trop restrictive, géographique et pas assez significative pour mon propos ; et parce que je n'en ai pas trouvé une autre.

On verra que ce portrait se décompose généralement en trois figures : celle de l'ex-colonisé demeuré dans son pays, et devenu le citoyen nouveau d'un État indépendant, celle de l'immigré, qui a choisi de vivre sous d'autres cieux, souvent dans l'ex-métropole, et le fils de l'immigré, né dans le pays d'accueil de ses parents. Ces trois aspects d'un même personnage ne coïncident pas entre eux, même si l'un génère l'autre ; et j'ai dû construire l'ouvrage en fonction de ce triptyque. Mais j'ai essayé d'en montrer la cohérence, à l'intérieur de chaque figure et entre les trois figures.

On me reprochera peut-être de n'avoir pas souvent utilisé des couleurs joyeuses pour cette peinture. On m'avait de même disputé à propos de ce que je nommai les *carences* du colonisé, le malheur d'être juif ou les fragilités de la plupart des femmes ; on préférait penser que le prolétaire était le parangon de toutes les vertus et la femme, l'humain par excellence. Le décolonisé pas plus que le colonisé n'est un saint ; comment le serait-il alors qu'il continue à vivre une période si agitée de son histoire ?

Il fallait bien, chemin faisant, fronder quelques tabous. Cet examen aurait dû d'ailleurs être entrepris par ses propres élites ; or, pour des raisons qu'il fallait également éclaircir, elles semblaient gagnées par une étrange paralysie de la pensée et de l'action ; au point, par leur démission, de laisser entière latitude aux plus retardataires. Or c'est ce combat critique qui a donné leur visage et leur dynamisme conquérant aux sociétés démocratiques de l'Occident.

Les défenseurs des ex-colonisés ne les aident guère non plus dans ce difficile et incontournable exercice. Au lieu de favoriser les démocrates, et même de s'allier avec eux, traînant une compréhensible culpabilité postcoloniale, ils se croient tenus au contraire à une complaisance globale qui tourne à la démagogie. La culpabilité devient nocive lorsqu'elle conduit à l'aveuglement, comme chez certains chrétiens larmoyants ou chez les marxistes élémentaires. Tel catholique, agité lui-même de doutes, croit moralement nécessaire, et habile, d'encourager les ex-colonisés dans des croyances et des pratiques rétrogrades. Tel voltairien, qui dévore volontiers du curé, a des délicatesses envers les imams ; telle association fondée pour défendre la laïcité, après une longue lutte contre les conservateurs sociaux et cléricaux, constatant que les immigrés ne distinguent pas toujours entre le religieux et le laïque, se demande s'il ne faudrait pas repenser les bases mêmes de la République. À l'autre extrême, ceux qui considèrent que la catastrophe étant presque achevée l'Europe connaîtra inévitablement d'autres « Kosovos ». L'embarras, sinon l'hypocrisie des gouvernants, leurs inconséquences dans leurs relations avec les nations nouvelles ou devant le problème des immigrés ne sont pas moindres. Aider les décolonisés, ce n'est pas seulement avoir pour eux quelque précautionneuse compassion, c'est se dire et leur dire la vérité, parce qu'on les considère comme dignes de l'entendre.

Je demeure persuadé enfin que le meilleur moyen de remédier à ces carences est d'en faire le bilan véridique ; ce que je tente ici. C'était, m'a-t-il semblé, le meilleur service à rendre aux ex-colonisés, et dorénavant à leurs partenaires obligés.

LE NOUVEAU CITOYEN

LA GRANDE DÉSILLUSION

La fin de la colonisation devait apporter la liberté et la prospérité ; l'indigène donnerait naissance au citoyen, maître de son destin politique, économique et culturel. Après des décennies sous le boisseau, sa nation enfin éclose affirmerait sa pleine souveraineté ; opulente ou indigente, elle jouirait des produits de son travail, de son sol et de son sous-sol ; son génie enfin rendu à son essor naturel, l'usage de sa langue récupérée lui permettraient l'expression et l'épanouissement de sa culture spécifique.

Hélas, force est de constater que, le plus souvent, dans ce temps nouveau si ardemment souhaité, conquis parfois au prix de terribles épreuves, règnent encore la misère et la corruption, la violence sinon le chaos. Ils sont loin ces jours, perdus dans les brumes du souvenir, au lendemain de l'indépendance — que les jeunes générations n'ont d'ailleurs pas connus — où le leader national, enfin sorti de prison, est entré dans la capitale sous les youyous des femmes, où, les larmes à peine retenues, les hommes, presque incrédules, criaient leur bonheur. Les lampions des retrouvailles nationales, où chacun se sentait le membre d'une même famille retrouvée, se sont éteints, renvoyant les visages à la pâleur de l'égoïsme.

Certes, il est réconfortant pour un peuple d'avoir à sa tête des gouvernants issus de son sein ; flatteur de voir claquer au vent son drapeau à la place de celui des colonisateurs, de disposer d'un embryon d'armée, d'avoir sa propre monnaie, d'être représenté parmi les autres nations par des ambassades et des diplomates. Mais tout le monde ne peut pas être ambassadeur ou consul ; tout le monde n'est pas assez doué pour tirer profit de la nouvelle conjoncture. Certes on ne doit pas mésestimer les quelques efforts qui porteront leurs fruits, mais, pour la plupart encore, la soupe a la même consistance ; il n'y a qu'un changement de maître, quelquefois plus tyrannique que le précédent ; comme les sangsues neuves, les nouvelles classes dirigeantes sont même souvent plus avides.

À dire vrai, pour l'économie au moins on aurait pu le prévoir. Lorsqu'on demandait au leader de la lutte anticoloniale des précisions sur son programme social, il répondait distraitement : « Ce n'est pas le moment, on verra plus tard, après la libération. » Ce n'était peut-être pas le moment, il y avait d'autres urgences, mais, depuis, on n'a presque rien vu. On avait pu espérer, dans les pays arabes du moins, que la bourgeoisie nationale, seule apte par sa compétence, son niveau technique et culturel, assurerait la gestion des affaires communes dans l'intérêt de son peuple. Ce n'était qu'une utopie ; elle y a gagné au contraire des privilèges, élaborant un système politique et administratif pour les conforter. On disait sarcastiquement en colonie que les cheikhs, ces chefs de quartier recrutés parmi les colonisés, avaient pour fonction principale de tenir les chèvres par les cornes pour les traire commodément, les chèvres étant en l'occurrence les colonisés ; les nouveaux cheikhs, nommés par les gouvernements de l'indépendance, sont au service des dirigeants pour la même tâche. Par-delà l'hypocrisie des idéologies, les relations entre les classes, comme les relations avec les peuples, sont régies par la rapine et non par la philanthropie : pourquoi les bourgeoisies locales seraient-elles plus désintéressées que les autres ? Où a-t-on vu que des privilégiés renoncent à leurs privilèges sinon sous la menace de tout perdre ?

Pourtant la pauvreté n'est pas une fatalité : quelques rares exemples le prouvent; la petite Tunisie, qui ne possède pas de pétrole, et c'est peut-être une chance, l'immense Chine ou l'Inde ont marqué des points dans la lutte contre la pauvreté. Fallait-il encore avoir la volonté de la vaincre et l'intelligence des moyens. Il y a quelques années, au cours d'une rencontre amicale avec l'ambassadeur d'un pays du tiers-monde, nous fûmes amenés à l'interroger sur les efforts de son pays pour combattre la pauvreté. Il nous semblait que cette tâche était prioritaire. Nous étions naïfs. Il nous répondit avec embarras par l'énumération des autres réalisations, aussi importantes, affirma-t-il, qui incombaient à son gouvernement. Nous venions de découvrir avec étonnement que, pour nombre de régimes du tiers-monde, l'éradication de la pauvreté n'était pas le souci majeur; ils ne la considéraient pas comme le mal principal qui rongeait leur peuple. Or, d'évidence, la pauvreté suscite et entretient l'ignorance et les superstitions, la stagnation des mœurs, l'absence de démocratie, l'hygiène défaillante, les maladies et la mort.

Certes, il existe des degrés dans la misère; le fellah maghrébin ou égyptien peut manger quotidiennement son couscous aux légumes ou son bol de févètes ; ailleurs on ne mange pas tous les jours. En Afrique noire, le touriste, qui se donne la peine de s'éloigner de son hôtel à air conditionné ou des luxueux camps retranchés que sont les clubs de vacances, et pousse l'audace jusqu'à pénétrer dans quelques logis, se trouve subitement au cœur de l'horreur. Comment oubliera-t-il ces intérieurs enfumés où des femmes cuisent directement sur la terre battue, rinçant les aliments dans des bassines d'eau sale ? Ou ces enfants, jolis comme des poupées d'ébène, morveux et ventre à l'air, dont beaucoup iront enrichir les statistiques des décès prématurés ? Ces belles jeunes femmes, sveltes comme des gazelles, dont on lui dit que beaucoup mourront en couches, faute d'antibiotiques (les antibiotiques n'ont pas toujours existé mais ils existent maintenant et pourraient les sauver) ? Ou, simplement, tout le long de la route-rue principale, ces matrones envahies de graisse, assises toute la journée devant des tréteaux en planches de caisse, sur lesquels quelques kilos de fruits ou de légumes attendent l'acheteur pour procurer aux familles le repas du soir et un peu de pétrole pour s'éclairer et cuisiner ? S'il pousse jusqu'à l'intérieur du pays, il découvrira partout la malnutrition et la maladie ; et, bien entendu, une culture archaïque, les pratiques magiques et les fantaisies de l'imagination qui aident à les supporter, mais qui, en retour, entretiennent les gens dans leur dénuement.

Pourquoi de tels cataclysmes permanents ? Passe encore pour les pays dépourvus de richesses naturelles et d'encadrements humains suffisants ; mais pourquoi au Venezuela, au Nigeria, qui regorgent de pétrole, au moins vingt pour cent de la population vit-elle en dessous du seuil de pauvreté ? Cinquante pour cent des habitants du Zimbabwe, dont le sous-sol contient même des diamants, sont dans la misère la plus extrême. Pourquoi dans l'opulente Argentine, qui pourrait nourrir quatre ou cinq fois sa population, des enfants s'évanouissent-ils de faim dans les écoles et dans les rues ? Des membres de professions libérales en sont réduits à élever des poulets dans leur salle de bains, à vendre des gâteaux confectionnés par leurs épouses. En Corée du Nord, un tiers de la population ne survit que grâce à l'aide alimentaire mondiale. En Inde, l'un des premiers producteurs mondiaux de céréales, la pauvreté a été jusqu'ici incommensurable. Non seulement ces pays ne se développent guère mais souvent s'appauvrissent ; une méchante plaisanterie suggère de les nommer plutôt « pays en voie de sous-développement » ; c'est le cas de l'Algérie, du Koweït, même de la richissime Arabie saoudite dont le revenu par tête d'habitant a diminué de soixante pour cent depuis 1980. Pourquoi l'Algérie, qui découvre ses immenses richesses d'hydrocarbures au même moment que la Norvège, demeure-t-elle dans un état alarmant de pauvreté, alors que la Norvège, précédemment l'un des pays les plus pauvres de l'Europe, rejoint les plus développés ? Pourquoi le Mexique, lui aussi grand producteur de pétrole et l'un des premiers bénéficiaires de la manne touristique, est-il atteint de crises périodiques, qui le mettent en état de faillite et le font mendier des allégements de ses dettes auprès des créanciers étrangers ? En 2003 l'Argentine a déclaré qu'elle annulait unilatéralement les trois quarts de ses dettes ; entre particuliers cela relève de l'escroquerie et serait passible des tribunaux.

Tel est le paradoxe : globalement au moins, le tiers-monde n'est pas pauvre et il se meurt d'inanition ; il aurait de quoi subvenir aux besoins de tous ses ressortissants, s'il ne souffrait pas d'une organisation et d'une répartition défectueuses, absurdes et scandaleuses. Osons un sacrilège ou une naïveté dans un monde fondé sur l'ordre encore féodal : pourquoi, au Moyen-Orient, quelques familles de bédouins disposent-elles, à leur seul avantage, de fabuleuses richesses du sol, sur lequel le hasard les a fait camper ? On pourrait, il est vrai, se poser la même question à propos des pionniers américains. Pourquoi tous les membres de la communauté humaine ne bénéficieraient-ils pas des dons de la nature ? Mais laissons là cette utopie. Il demeure que tout continent, si misérable qu'il paraisse, contient de quoi nourrir tous ses habitants. Alors pourquoi un tel désastre ?

On peut épiloguer sur les causes de ce non-sens dramatique ; elles sont diverses, retards technologiques, techniciens en nombre insuffisant, encadrements intellectuels déficients, institutions et cultures rétrogrades, concurrence internationale féroce, fantaisies du climat, mais l'une d'entre elles est commune à presque tous — ces pays sont tous atteints du même mal : la corruption. La corruption n'est pas spécifique au tiers-monde ; elle est, ou elle est devenue, universelle ; elle atteint même les plus anciennes et les plus respectables des nations occidentales, où les scandales se succèdent, facilités par la rapidité et l'instantanéité des échanges. La bourse, pivot et révélateur de l'état des économies, qui devrait réguler, gérer au mieux les intérêts respectifs, est devenue une machine à ponctionner les plus fragiles et les moins avertis, donc indirectement les plus pauvres. Mais la corruption y demeure honteuse et déguisée. Dans les jeunes nations, moins délicates à cet égard, elle est cynique et brutale, une espèce de bakchich généralisé, admis ou toléré par tous, presque comme une institution. Depuis l'agent de police, à qui le marchand de quatre-saisons remet une botte de poireaux ou d'artichauts, pour ne pas en être tourmenté, jusqu'aux gros importateurs de machines agricoles qui versent des dividendes aux fonctionnaires pour obtenir des licences d'importation, ou un rendez-vous bienveillant avec un ministre, en passant par le gendarme qui exige un droit de péage sur les routes. Lorsque le dernier président de Madagascar a mis son pays en coupe réglée, ce fut au vu et au su de tous, et avec la bénédiction de la France, censée être le grand protecteur et ami. La corruption est partout et altère tout et tout le monde ; y compris les petits qui en retirent quelques miettes consolatrices, et qui en sont les victimes complices, complaisantes ou résignées. Elle touche les pays riches comme les pays pauvres ; mais souvent la plus grande corruption accompagne la plus grande pauvreté. Le Nigeria, pays parmi les plus riches d'Afrique, a l'une des populations les plus pauvres du monde, et il est atteint, en même temps, de l'un des taux de corruption les plus élevés ; le Cameroun, qui serait le pays le plus corrompu de la planète, contient le plus grand nombre de pauvres. Plus généralement, s'il fallait établir un classement, l'Afrique noire viendrait en tête pour cette simultanéité destructrice de la pauvreté et de la corruption.

La corruption n'est pas seulement moralement condamnable, elle exprime et entretient une décomposition du tissu social. Elle nuit à toute création, elle empêche toute innovation, qui demande de l'initiative et des efforts. Plutôt que de fonder des entreprises, il est moins pénible, plus immédiatement rentable de prélever des ristournes démesurées sur des transactions, fictives quelquefois, ou sur l'aide internationale, dont une large part n'arrive pas à destination. Il est plus commode de feindre, grâce à des bilans truqués, des pots-de-vin, de lancer des programmes de grands travaux qui ne seront jamais terminés ni même commencés; d'édifier par exemple des hôtels à la splendeur kitsch, qui resteront à demi déserts, avec des prêts gouvernementaux, qu'on a bien l'intention de ne pas rendre, grâce à des «montages» financiers qui mèneraient en prison si les pouvoirs publics ne fermaient pas les yeux. Les mêmes tripotages se retrouvent dans toute l'Afrique, musulmane ou chrétienne, dans le Mexique catholique comme dans la vertueuse République islamique d'Iran et la démocratie laïque de l'Inde. Périodiquement, tel chef d'État annonce solennellement son intention de lutter contre une corruption devenue obscène : comme si les voleurs prétendaient assurer l'ordre ; Arsène Lupin déguisé en préfet de police.

Par le même mécanisme, cette gabegie, ce laxisme véreux, ces gains providentiels, trop facilement acquis, ne sont guère réinvestis dans le pays, ce qui serait la norme dans une économie saine. On évalue entre quarante et quatre-vingts pour cent les revenus qui sont — subrepticement mais avec l'accord tacite des gouvernants, qui en profitent également — envoyés dans les comptes secrets à l'étranger. Personne n'a évalué jusqu'ici la part des revenus pétroliers qui s'envolent de la même manière, vers les investissements immobiliers à Londres ou à New York. La frontière est souvent indécise entre les finances publiques et les finances privées. À l'occasion de la guerre contre l'Irak, on a mis en lumière, ce que l'on savait déjà, que le chef de l'État, Saddam Hussein, était l'un des hommes les plus riches du monde ; il n'a sûrement pas trouvé sa fortune dans le village familial.

Cette saignée continue et stérile empêche la constitution d'une industrie, qui est aujourd'hui la condition d'un développement autonome et, par un cercle vicieux, cette absence de développement n'offre pas d'occasion d'investissements fructueux, ce qui est, après tout, le but de tout investisseur, local ou étranger. Ainsi la rareté des fonds directement disponibles entretient le sous-développement et le sous-développement décourage les investissements potentiels. Les jeunes nations se plaignent du désintérêt pour leur pays des possédants étrangers ; mais pourquoi les étrangers placeraient-ils leur argent dans un pays où les nationaux eux-mêmes s'abstiennent de le faire ?

Sans compter un environnement social et politique souvent incertain sinon inquiétant. Car cette disette engendre l'instabilité et l'instabilité la violence. L'impossibilité de créer des emplois suffisamment nombreux et stables entretient un chômage et une précarité endémiques. Quarante pour cent de chômeurs en Iran, en Irak, où déjà la quasi-totalité des femmes sont exclues des circuits économiques. Qui n'a pas vu, en traversant quelque village, ces théories de jeunes hommes inoccupés, adossés au mur comme des lézards? Dans l'humour particulier des désenchantés, on les appelle des *hittites*, littéralement ceux qui tiennent le mur (de l'arabe *hit*). Malgré la rente pétrolière, le tiers de la population algérienne, surtout les jeunes, est au chômage et ne trouve sa subsistance que dans les petits emplois sporadiques et la débrouillardise quotidienne. Comment ne seraient-ils pas agités de fréquents soubresauts, vite et durement réprimés? Ainsi, par un effet pervers, loin de profiter, même indirectement, à tous, cet enrichissement artificiel contribue à l'appauvrissement du plus grand nombre.

Avec les désastreux corollaires habituels, l'émigration des plus doués, des diplômés, des techniciens qui, ne trouvant pas à s'employer sur place, vont chercher ailleurs l'emploi de leur talent et de leur savoir, et en privent leurs concitoyens. La fuite des esprits est aussi néfaste que la fuite des capitaux. Le sous-développement économique entraîne le sous-développement technique et scientifique. L'enseignement trop tourné vers la religion et pas assez vers la formation technique empêche la formation de classes moyennes qualifiées. Le fossé entre les nantis et les pauvres, au lieu de se combler, s'élargit ainsi de plus en plus. Une promenade dans Alger révèle le délabrement de l'immobilier des quartiers pauvres, qui jure avec les beaux quartiers habités par les nouveaux riches, et précédemment par les Européens. L'absence d'une classe ouvrière nombreuse, freinant la constitution d'un syndicalisme suffisamment robuste, ne laisse place qu'à un paternalisme désuet qui, au lieu d'une relative justice sociale, relaye le servage sous les apparences de la générosité. Les bonnes à tout faire refusent dorénavant de s'appeler Fatma, exigent qu'on leur donne des Warda et des Neila comme leurs patronnes, mais demeurent sous-payées et corvéables à merci. Comme les dames d'œuvres des siècles passés en Europe, l'employeur se targue de partager un repas avec ses employés, le couscous une fois l'an, de faire quelques dons à l'occasion du ramadan, au lieu d'augmenter leur salaire et de leur permettre de manger à leur faim toute l'année. Il n'est pas scandaleux de s'enrichir, à condition que ce ne soit pas en pressurant autrui ; or, dans ces malheureux pays, la tonte est sans pitié, et c'est merveille que l'on puisse encore la pratiquer sur des moutons qui n'ont presque plus de laine sur le dos.

Faute de mieux, les pouvoirs publics encouragent le folklore, l'artisanat et le tourisme.

Passe encore pour le tourisme, mieux vaut être un domestique que d'avoir le ventre vide. Même en Tunisie, citée en exemple pour ses réussites récentes contre la pauvreté, le tiers au moins des ressources provient du tourisme. Mais ce sont là de fausses issues, qui perpétuent le caractère artificiel de l'économie, et qui maintiennent la dépendance à l'égard des pays développés, dont on devient le client, obséquieux ou révolté, pourvoyeur de tourisme sexuel au lieu d'aller résolument vers une relative indépendance, qui exige d'abord le courage de rompre avec les structures établies, et de s'élancer résolument vers l'avenir. Même le pétrole, cette divine surprise offerte par la nature, ne sauvera pas le tiers-monde s'il n'est pas utilisé pour promouvoir une économie plus diversifiée. On se souvient des afflux d'or des *conquistadores* qui, en donnant une prospérité apparente à l'Espagne, l'ont transformée au contraire en obèse infirme.

IMPOSTEURS ET POTENTATS

Pour faire accepter une telle imposture, il fallait des imposteurs, capables d'imposer cet ordre inique, en cultivant l'illusion ou par la coercition si nécessaire. Les nantis l'ont vite compris et y ont régulièrement pourvu. À de rares exceptions près, les pays du tiers-monde eurent, et ont toujours, de tels hommes à leur tête : des potentats suscités par les profiteurs des nouveaux régimes, restés, eux, dans l'ombre. La transparence n'est certes pas un trait notable de ces régimes. Tant que le système fonctionne, il suffit à ces grands commis d'avoir la bénédiction de leurs parrains occultes. D'où la durée insolite de la direction politique apparente, dont la longévité est l'un des paradoxes de ces contrées à l'avenir trouble. L'habituel humour des dominés a noté que les potentats ne quittent le pouvoir que dans un cercueil. Ne tenant pas leur pouvoir du peuple, ils ne sont pas soumis à ses sautes d'humeur, qui sont les aléas de la démocratie. Et pourquoi en changer alors qu'ils font leurs preuves tous les jours et rendent tous les services que l'on attendait d'eux ? Ils n'ont jamais cessé, à la suite de quelques coups d'État, de maintenir l'ordre qui permet de s'enrichir en paix.

En échange, outre les délices du pouvoir, même seulement apparent, par un mécanisme mafieux de réciprocité, ils auront en récompense la possibilité de s'enrichir également. D'où leur souci obsessionnel de durer ; le poste est trop rentable pour qu'ils ne s'y accrochent pas de toutes leurs forces. Ils en feront profiter leurs proches. Que d'épouses, de fils, de neveux de potentats qui sont ainsi à la tête d'entreprises fructueuses, ou en tirent les profits par l'intermédiaire de prête-noms ! Le népotisme est, on le sait, l'un des traits spécifiques des régimes mafieux. Les responsables de la gestion du pétrole sont quasiment toujours des proches du chef de l'État ; les ministres des Finances en titre ont, au contraire, rarement connaissance du montant des revenus. En prodiguant des avantages économiques aux leurs et à quelques favoris, les potentats renforceront leur propre protection. Mieux encore ils s'efforceront d'établir une continuité dans le temps. Le fils de Pol Pot, le Khmer rouge, fut désigné par son père comme son successeur obligatoire ; le fils du Syrien al Assad a succédé à son père ; l'Égyptien Moubarak vient de révéler qu'il avait un fils, ouf ! Qui serait le mieux placé en effet pour assurer la stabilité du régime ? Si le fils vient à manquer, un fils spirituel, un homme de confiance fera l'affaire ; Moubarak n'était-il pas l'homme de confiance de Sadate lequel était celui de Nasser ? Le Maroc a la chance de n'avoir pas une telle préoccupation, puisque le sultanat perpétuel assure les destinées du royaume.

Ainsi, comme chez les marionnettes, le potentat se croira libre de ses mouvements, sinon invulnérable et éternel. En attendant sa lointaine succession, il utilisera tous les moyens, légaux et illégaux, pour mettre son pouvoir à l'abri, en éliminant ses pâles concurrents, s'ils osent se manifester. Quadrillage policier, votes terrorisés, élections truquées, où l'unanimité en sa faveur est si complète qu'elle fait sourire l'étranger et enrager ses concitoyens. Il aura en outre à sa disposition ces formidables moyens que le monde moderne a fourni aux dictateurs contemporains : médias, techniques de communication, de représentation et de persuasion, dont il apprendra à se servir sans vergogne, jusqu'à la dérision. La presse est tout entière au service de cette apothéose ; elle le paye cher ; strictement muselée, elle en devient insipide et incolore, pauvrement sélective, réduite à quelques thèmes sans cesse rabâchés. L'on se demande si elle convainc quiconque, mais qu'importe : toute information contraire, donc dangereuse, est éliminée et le réel véritable, celui de la nation et du monde, est absent, camouflé ou même mensonger. On expliquera qu'ailleurs, c'est pire ; toute la presse mondiale n'est-elle pas ainsi aux mains des juifs ? Les quelques statues de souverains, qui jalonnaient les villes du passé, semblent bien désuètes à côté du déferlement des reproductions en pierre, en bronze, en peinture du potentat nouvelle manière. Ces effigies démesurées, à pied ou à cheval, en civil ou en uniforme, en costume traditionnel ou en trois-pièces bourgeois, occupent toutes les surfaces disponibles. Dans cette entreprise systématique de séduction, la télévision s'est révélée un outil providentiel : l'image du potentat est en outre en mouvement et en trois dimensions ; il se déplace, il sourit, il encourage, il réconforte, mieux qu'un génie tutélaire, toutes distances abolies ; pas un jour sans qu'il soit présent dans les foyers; pas seulement comme auparavant par un portrait figé, accroché au mur, mais présidant une réunion, inaugurant un dispensaire ou un édifice religieux, commémorant un événement national, du présent, du passé ou du futur, qu'il promet radieux, puisqu'il coïncide avec sa personne. Du reste, quelques mesures de prestige, des lampadaires le long d'une avenue centrale, quelques monuments mégalomaniaques, des projets grandioses et contestables feront oublier la boue des ruelles, les amas d'ordures et l'absence d'un système d'égouts efficace.

TYRANS, RELIGIONISTES ET MILITAIRES

Aucun régime toutefois, même totalement policier, n'est hermétique, à l'abri de quelque convulsion inopinée; une fissure peut apparaître par où pourrait passer une lave incandescente. Pour durer le potentat doit veiller sans cesse, redoubler de mesures préventives, c'est-à-dire se transformer en tyran. Seule la tyrannie, une violence permanente, chaude ou froide, peut maintenir un système oppressif. Il multipliera les verrous à l'intérieur et à l'extérieur. Qu'un journaliste ose y faire allusion et il est aussitôt jeté en prison; avis aux amateurs. Pour prévenir les révolutions de palais, il doit se méfier de tous, même des plus proches, de ses ministres, de ses généraux. En outre il recherchera des alliances parmi les deux autres puissances des jeunes États : les religionistes et les militaires, à qui il multipliera les faveurs et les avantages.

Cependant, l'alliance avec les religionistes est un jeu de poker menteur : c'est à qui finira par avoir la peau de l'autre. Les gens d'argent ne s'intéressent qu'à l'argent; ils seraient prêts à une paix armée avec le diable s'il le fallait. Les religionistes veulent tout, les corps et les âmes. Ils ne sont pas les seuls : tous les totalitaires veulent contrôler la totalité des vies de leurs semblables. Le port du voile, par exemple, n'est plus seulement une commodité pour les femmes, ou une mode vestimentaire; il devient, à l'instar des religieuses catholiques, l'expression d'une contrainte plus générale de la féminité qui, voilée, gantée, enveloppée de la tête aux pieds, ne peut pas même s'exprimer, ne doit livrer que les yeux; interdiction de toucher la main d'un homme, d'en être admirée; coercition qui pèse sur le rapport des sexes, car le voile est aussi une contrainte pour les hommes, qu'il prive de tout contact avec la féminité. De même que l'interdiction de boire de l'alcool, d'écouter de la musique profane ou de regarder des images est une manière de brimer le désir, d'investir tout le vécu. Le potentat le sait, il surveille de près son partenaire-adversaire : la prise de pouvoir par les religionistes entraînerait un bouleversement total, et sa propre ruine. Nulle cohabitation définitive n'étant possible avec les religionistes, tantôt il les flattera, tantôt il leur serrera la vis. Mais ils sont toujours à l'affût, attendant leur heure ; ainsi dans l'apparemment paisible Maroc, en Égypte où ils s'intitulent les « frères musulmans », même dans la sage Tunisie où on dit en plaisantant que les intégristes n'ont fait que raser leur barbe ou la cacher dans leur col pour passer provisoirement inaperçus. En Algérie, le pouvoir ayant failli être cannibalisé, il fallut, de toute urgence, faire appel à l'autre puissance : les militaires.

Les militaires, loin de se cacher, ont en outre l'avantage d'impressionner les foules avec leurs uniformes, leurs armes et leurs médailles, leur cérémonial théâtral. La liste des soldats au pouvoir dans les nations ex-colonisées est significative. L'Égyptien Nasser était colonel comme le Libyen Kadhafi ; le premier président de la République algérienne, Ben Bella, était sous-officier dans l'armée française, il en gardera la raideur et le ton du commandement ; il sera remplacé par le colonel Boumediene, chef de la première véritable armée algérienne, lequel sera remplacé plus tard par l'actuel collège des généraux. Le Tunisien Bourguiba était un civil mais, outre qu'il confisqua tous les pouvoirs à la fin de sa vie, il fut renversé par un général, Ben Ali, toujours au pouvoir ; les sultans, les rois du Maroc, n'ont pas besoin d'être des soldats de profession ; ils sont soutenus par les belliqueuses tribus berbères ; ils disposent d'ailleurs du droit absolu, cumulent, par délégation divine, les prestiges du sacré et du profane. En Amérique latine, l'Argentin Perón, coqueluche des foules nostalgiques, en partie grâce au charme de son épouse, était colonel. Hugo Chávez, l'actuel président du Venezuela, est lieutenant-colonel ; dans les années 1970, le pouvoir était aux mains des militaires en Argentine, au Brésil, en Bolivie, au Chili, en Uruguay, etc. Lorsque les civils préfèrent se passer des militaires, ils font de l'auto-promotion : ils ne se contentent pas, comme dans les régimes démocratiques, d'être les chefs théoriques de l'armée ; ils veulent commander réellement. Staline le révolutionnaire s'est travesti en maréchal ; imité par le communiste Tito ; caricaturé par l'Ougandais Amin Dada. Ils n'avaient pas tort ; il est plus impressionnant de se présenter devant l'histoire en vareuse ; Castro n'a jamais quitté la sienne, ni Mao. Qui mieux que l'armée en effet, organisme hiérarchisé et discipliné, obéissant par nature, éduqué à la soumission sans discuter, et à commander, pourrait fournir l'outil le plus efficace pour conforter un régime despotique ? Dans une nation en construction les institutions stables sont encore rares ; l'armée, comme l'Église, est une espèce d'État dans l'État, même plus structuré que lui. Il en est ainsi en Israël, pays pourtant démocratique.

Mais, là encore, le recours n'est pas sans péril. Entre l'armée et le potentat se joue un autre poker menteur. La solidité de l'armée lui donne confiance en elle-même et le goût d'une certaine autonomie. Le tyran a besoin de l'armée pour subsister, l'armée n'a pas besoin du tyran. Les militaires sont en outre des spécialistes de la force, la guerre est leur raison d'être ; dans un monde de violence, ils sont les plus aptes à s'imposer. Comment ne seraient-ils pas tentés de se saisir à leur tour du pouvoir politique ? Le moindre caporal croit détenir dans sa besace un bâton de maréchal. Ils trouvent même quelque excuse à leurs ambitions : dans cette précarité, où tout peut se produire, où il faut précisément multiplier les mesures contre l'aventure, seuls les hommes forts, à l'autorité indiscutée, peuvent assurer la relève du potentat décidément trop fragile. N'importe quel soudard au front bas, s'il peut entraîner quelques milliers de pillards, d'adolescents fiers de leurs kalachnikovs, peut se lancer à l'assaut du soudard précédent.

De sorte que ce qui était censé établir les bases d'un régime à l'abri de toute épreuve devient, là encore, le maillon d'une noria tragique. Car les soudards sont souvent aussi des crétins criminels qui croient que la force suffit pour gouverner, qui ne reculent pas devant le sang versé dans des conditions atroces. C'est dans les régimes militaires, réputés pour leur fermeté, que les coups d'État se succèdent, après qu'ils ont fait la preuve de leur incompétence. Au contraire de la démocratie où le pouvoir est relativement stable, précisément parce qu'il n'est pas imposé, mais légitimé par une délégation provisoire du peuple. Le pouvoir des militaires s'effondre dès qu'un autre factieux y porte la main, instituant une pseudo-légitimité à la place d'une autre.

DIVERSIONS, ALIBIS ET MYSTIFICATIONS

On comprend que fleurissent les diversions, les alibis et les mystifications. Un film américain, de Spike Lee, *Do The Right Thing*, rapporte une observation, qui m'a été confirmée par plusieurs amis : un Asiatique, ou un Italien, ouvre un restaurant à Harlem. Il travaille d'arrache-pied, les horaires sont élastiques ; toute la famille s'y met, pour éviter d'embaucher du personnel rétribué, pour payer moins d'impôts. Résultat, au bout de quelque temps, tout le monde vit dans une aisance relative. Les Noirs du quartier, d'abord goguenards, sont furieux ; ils accusent le restaurateur de leur soutirer de l'argent, oubliant qu'ils ont reçu en échange des *pizzas*, des *nems* et des *sushis*. À la suite d'une altercation, ils mettent le feu à la boutique. Pourquoi ne font-ils pas comme les Asiatiques et les Italiens? Mes amis ont posé la question. Réponse agacée : « Ces gens-là s'entraident ! Dès leur arrivée ils sont pris en charge par les leurs ! Par toutes sortes d'associations… » Pourquoi les Noirs n'ont-ils pas leurs propres associations? On leur explique vaguement que c'est contraire à leur « mentalité », qu'ils détestent les associations, etc. Comme ils insistent, on leur fournit la « vraie » raison : « Parce que nous avons été esclaves ! — Mais, s'étonnent-ils, vous ne l'êtes plus depuis longtemps !… »

Les Noirs américains ne sont pas des décolonisés ; bien qu'ils en aient certains traits, comme ils avaient des traits communs avec les colonisés. Mais il s'agit des mêmes réponses de fuite. C'est encore la faute de l'histoire, c'est toujours la faute des Blancs. Le dolorisme est une tendance naturelle à exagérer ses douleurs et à les imputer à autrui. Il existe même de fausses victimes et de faux colonisés. Comme les décolonisés, tant que les Noirs ne se seront pas débarrassés de ce dolorisme, de ces pseudo-explications, qui sont des alibis, ils ne pourront pas analyser correctement leur condition et agir en conséquence.

Le tyran va entretenir soigneusement ces diversions ; et y réussit partiellement. Car il ne faut pas croire que les tyrans, civils ou militaires, soient uniment honnis par leur peuple. Comme chez les buffles qui suivent leur leader, même quand celui-ci les mène dans un ravin, il existe un suivisme grégaire chez les bêtes humaines. Une grande majorité d'Allemands, nation de haut niveau culturel, scientifique et technique, à la stupéfaction du monde civilisé a suivi Adolf Hitler jusqu'à la défaite. Les peuples ex-colonisés, décapités sociaux, sans intermédiaires syndicaux ou politiques, n'ont pas d'yeux pour voir ni d'oreilles pour entendre. Le tyran, même intronisé au hasard d'un coup de force, se trouve malgré tout représenter l'ordre. En outre, fussent-ils des dictateurs sanguinaires, Amin Dada ou Saddam Hussein ont personnifié la résistance à l'Occident, ils furent malgré tout les représentants d'un pouvoir neuf. Une mystification ne réussit que sur un terrain favorable.

Le potentat s'évertuera à convaincre ses concitoyens que les causes de leur malheur seraient imputables aux autres, non à sa propre gabegie, à l'incohérence économique et au désordre administratif, à leur propre carence. S'il atteint son but, le bénéfice sera double : les souffrances du décolonisé n'étant que le résultat persistant de la domination étrangère, le décolonisé est déculpabilisé et le tyran est acquitté. Les carences, les échecs, les crimes quelquefois du tyran sont déterminés par l'injuste et sombre passé commun. Si le décolonisé n'est toujours pas le libre citoyen d'un pays libre, c'est qu'il demeure le jouet impuissant de l'ancienne fatalité. Si l'économie est défaillante, la politique inégalitaire, la culture fossilisée, c'est toujours la faute de l'ex-colonisateur ; non de la saignée systématique du produit national par les nouveaux maîtres, ni de la viscosité de sa culture qui n'arrive pas à déboucher sur le présent et le futur.

Ou encore, cette stagnation serait le résultat d'une ruse nouvelle du capitalisme mondial ; un « néocolonialisme » serait venu relayer l'autre. Le terme, vague à souhait, sert de cache-misère et de justificatif. La colonisation suppose une métropole, des colons installés à demeure, une exploitation économique, une main-mise sur les richesses, une gestion directe, une politique étrangère confisquée. La colonisation fut une spoliation dans tous les domaines, inutile de revenir là-dessus, il est plus judicieux de voir ce qu'il en reste et de ne pas lui attribuer ce qui n'est plus. Mais le prétendu néocolonialisme explique tout et suscite la commisération de l'opinion. Or les USA, devenus le « grand satan », cause de tous les malheurs actuels, ont plutôt aidé aux décolonisations, non par bonté d'âme mais parce qu'ils jugeaient les colonisations directes périmées et coûteuses ; et peut-être parce qu'ils ont été eux-mêmes des colonisés. Ils souhaitaient instaurer dans le monde entier un système de libre-échange pour mieux écouler leurs marchandises. Ils étaient indifférents, au contraire — on le leur a assez reproché —, aux régimes politiques des anciens colonisés et de leurs clients éventuels, fussent-ils fascistes. Ils ont fait la guerre au Vietnam, non parce que les Vietnamiens réclamaient leur indépendance, mais parce que, communistes et avant-garde de la Russie soviétique, ils menaçaient l'expansion du libéralisme en Asie.

Même dans le passé, quelles que soient ses responsabilités, la colonisation n'a pas été responsable de tout. Les famines existaient avant elle ; la corruption ne date pas de la colonisation européenne ; dans l'Empire ottoman, qui a dominé le monde arabe durant des siècles, les fonctionnaires mal payés ou pas payés du tout se dédommageaient sur les populations conquises. Sans en avoir la volonté affirmée, la colonisation occidentale a même été l'occasion de quelques avancées, techniques, politiques et ou culturelles, comme il arrive dans les contacts entre civilisations. En de nombreux domaines l'Afrique du Sud continue à vivre sur les acquis d'antan. Si la colonisation a stoppé le développement des colonisés, elle n'a tout de même pas généré leur déclin antérieur. La décadence du monde arabo-islamique en particulier, après quelques siècles d'expansion et d'épanouissement, demeure l'un des mystères de l'histoire. On en a suggéré plusieurs causes, peut-être faut-il les additionner. Plus simplement, toute civilisation, si brillante soit-elle, arrive un jour à son terme. Il serait maintenant plus fructueux d'analyser pourquoi les décolonisations n'ont guère réussi jusqu'ici. Pourquoi, si l'arbre colonial produisait des fruits amers, celui des indépendances nationales n'a produit que des fruits rabougris ? Pourquoi n'a-t-il toujours pas réussi à séparer le religieux du profane ? À libérer la pensée critique, condition d'un renouveau technique et scientifique ? À alléger l'oppression des femmes ? À réformer une éducation retardataire ?

Sans doute, rien ne vient de rien ; le visage actuel des jeunes nations porte encore autant l'empreinte de leur passé colonial que de leur histoire propre. On parle toujours le français dans les anciennes colonies françaises, l'anglais dans les anciennes colonies anglaises et le portugais au Brésil. Ce qui n'est d'ailleurs pas nécessairement dommageable. Les officiers indiens ou jordaniens portent le même béret étriqué que leurs homologues britanniques et les troupes de choc africaines le béret des parachutistes français, qui l'ont emprunté aux Américains. Sans doute, dans la jungle des nations, les plus puissantes font la loi aux plus fragiles, pour leur arracher ce qu'elles pourraient encore leur prendre. Mais pas davantage que pour les autres nations qui ne furent pas colonisées. Les relations internationales ne sont certes pas régies par la pitié et la philanthropie ; il s'agit d'une autre sorte d'emprise, qu'il faudrait analyser, mais plus de colonisation ou de néocolonisation. La colonisation a commis bien assez de crimes, inutile de lui en imputer d'autres.

Les jeunes nations sont indépendantes depuis cinquante ans; elles ont eu tout le temps nécessaire pour se réformer, et faire disparaître, si elles l'avaient vraiment souhaité, les séquelles négatives de leur état antérieur de sujétion. Qui a contraint les membres du Commonwealth à y demeurer? Voilà le lancinant problème actuel: pourquoi ces nations n'ont-elles pas trouvé, ou voulu trouver en elles-mêmes, les forces nécessaires pour s'accomplir? Comment ne pas considérer leurs propres erreurs? Par exemple, le choix des cultures d'exportation au détriment des cultures vivrières, cause probable de famines? Celui de l'industrialisation désordonnée en Algérie, qui a failli ruiner l'agriculture? La passivité à l'égard d'une natalité galopante (sinon son encouragement) à la fois pour des raisons religieuses et comme moyen de pression sur l'Occident? Pourquoi continuent-elles à quémander l'aide de l'ex-colonisateur? On ne peut pas réclamer son indépendance et souhaiter le maintien des subsides de l'ex-métropole. N'est-il pas déplorable que l'Afrique noire continue à solliciter l'intervention de troupes étrangères pour aplanir ses dissensions internes? Les soldats français qui opèrent en Côte d'Ivoire n'ont pas envahi le pays, ils ont été appelés par le gouvernement local. Pourquoi n'a-t-il pas demandé l'aide d'un autre pays africain? Pourquoi lors du génocide ruandais, les nations noires ne sont-elles pas intervenues?

47

On a voulu expliquer, de la même manière, l'extrême pauvreté du tiers-monde : elle serait le résultat d'un « pillage » systématique. Que signifie encore cette expression ? Piller, c'est arracher des biens contre la volonté des victimes et sans contrepartie. Y a-t-il vraiment pillage ? Qui a empêché les producteurs de pétrole de le vendre à un prix qu'ils ont imposé au monde, et même aux nations les plus démunies ? Il en est de même pour les autres matières premières. Dans un monde régi par la concurrence, c'est à qui l'emportera. Peut-être arriverons-nous un jour à instaurer des relations plus humaines entre les nations ; mais, pour le moment, il ne s'agit ni de colonisation ni de pillage. Bien entendu, cela n'excuse en aucune manière l'actuelle complaisance, sinon la complicité, des puissances occidentales avec les régimes corrompus, leur soutien aux plus réactionnaires afin qu'ils puissent continuer à écouler les produits de leurs industries, leurs encouragements aux achats d'armes, dont on peut se demander s'ils ne sont pas une ruse pour éponger les surplus monétaires.

Il n'est même pas sûr que l'Occident capitaliste ait intérêt à un appauvrissement excessif du tiers-monde. Il n'y aurait alors plus d'acheteurs, et le monde en deviendrait plus explosif. L'ordre actuel est dommageable aux plus démunis ; mais pourquoi les jeunes nations s'y résignent-elles ? Leurs classes possédantes et leurs dirigeants sont-ils bien convaincus d'une nécessaire transformation ? Ne peut-on supposer qu'elles préfèrent que rien ne change ? Que cette organisation du monde, en définitive, leur convient ? Il y a si peu de fatalité en cette affaire que ceux qui ont résolument choisi le développement, particulièrement en Asie, commencent à réussir. L'exception tunisienne, même grevée de l'incompréhensible pression policière, prouve déjà que tout est possible ; l'illettrisme a presque disparu, la condition de la femme s'est largement améliorée. Mais n'est-ce pas, là encore, que l'on préfère ignorer les véritables raisons de la misère, qui sont internes, et donc accessibles aux changements ? Que les nantis et les potentats veulent surtout distraire l'attention des gouvernés, les persuader que leur dénuement est inévitable, le résultat de la fatalité ou de quelque complot des étrangers, espérant ainsi désarmer leur ressentiment et prévenir leur révolte ?

UN CONFLIT BIEN COMMODE

Le drame israélo-palestinien est à cet égard exemplaire. Sa solution aurait pu être trouvée depuis longtemps si les hommes n'étaient pas englués dans leurs mythes respectifs. Sans doute les Palestiniens sont-ils dominés par les Israéliens et le conflit ne s'apaisera pas tant qu'il en sera ainsi. Aucun peuple n'a le droit et ne peut en dominer définitivement un autre. Les nationalistes juifs, les sionistes, avaient fait le rêve de bâtir un État juif, sur l'étendue de toute la Palestine. Sans doute ils doivent l'abandonner, et quitter tous les territoires majoritairement habités par les Palestiniens, ou se résigner au terrorisme permanent et à des guerres successives, peut-être jusqu'à leur propre disparition, recherchée par l'ensemble du monde arabe. Sans doute une solution négociée, en vue de l'instauration de deux États, si médiocre paraisse-t-elle aux uns et aux autres, serait-elle bénéfique à tous, Palestiniens et Israéliens, Arabes et juifs. Car la partie ne se joue pas seulement entre Palestiniens et Israéliens mais entre la quasi-totalité des pays arabo-musulmans et la majorité des juifs dans le monde. Les Palestiniens ne sont pas tout seuls comme ils s'en plaignent ; ils sont les fantassins du monde arabe, qui les flatte pour mieux les sacrifier. Ils ont le soutien financier et politique des vingt-deux nations arabes, qui les fournissent en armes, en argent et en suggestions tactiques. Il y a quelques années la diplomatie arabe a réussi à faire voter à l'ONU une motion stigmatisant le sionisme comme une variété de racisme Le monde arabe étant ce qu'il est actuellement, il n'est pas sûr que la fondation d'un État juif dans une région qu'ils considèrent comme leur domaine exclusif ait été une excellente idée ; ils ne l'ont pas accepté jusqu'ici et nul ne peut prédire quand ils l'accepteront, ni même s'ils l'accepteront jamais.

Mais Israël n'est pas une fondation coloniale, qu'il serait donc légitime de détruire, ce que tentent de faire accréditer les États arabes. Hormis la domination des Palestiniens, ce qui est certes inacceptable, il n'en a aucune caractéristique. Ni un royaume croisé, une excroissance religieuse de l'Europe, destiné tôt ou tard à être effacé de la carte, à la suite de la lassitude de la chrétienté. Il est, comme la Palestine pour les Palestiniens, un fait national, qui répond à une condition difficile à vivre et à une aspiration collective, avec son imaginaire propre, qui le rattache, à tort ou à raison, à cette terre. C'est ainsi que l'ont compris les Nations unies, qui ont décidé la constitution de deux États souverains. Ne possédant pas de métropole derrière lui, pour en venir à bout il faudrait le détruire. Il se défendrait le dos au mur, et sa destruction coûterait horriblement cher à tous les partenaires. Son éventuel anéantissement mériterait-il un tel cataclysme ? Sans compter la honte indélébile dans l'histoire des Arabes, à l'instar du génocide nazi dans l'histoire des Allemands ou du génocide arménien dans l'histoire turque.

Ramenée à ses justes proportions, comparée à l'immensité des problèmes, démographiques, économiques, politiques, sociaux, culturels, religieux, qui assaillent aujourd'hui le monde arabe, l'affaire israélo-palestinienne se révèle un drame minuscule dans un coin de terre minuscule, entre beaucoup d'autres. Le malheur des Arabes ne vient évidemment pas de l'existence d'Israël; à supposer la disparition de l'État juif, aucune de ces difficultés n'en serait résolue. Au contraire, la juste évaluation du conflit israélo-palestinien et sa résolution pacifique seraient l'un des signes de la santé retrouvée. En fait, il s'agit d'une lutte assez banale entre deux petites nations en gésine, dont les deux affirmations nationales se sont trouvées par malchance en contradiction territoriale. La dernière révolte palestinienne, la deuxième *Intifada*, qui retient l'attention des médias, a fait trois mille sept cents morts; c'est trois mille sept cents morts de trop et toute mort est un malheur. Mais il suffit de parcourir une collection de journaux pour se rappeler, rien que pour les dernières décennies, le million de morts du Biafra, le million de morts du Ruanda, les massacres non chiffrés de l'Ouganda, du Congo, les trois cent mille morts au Burundi, les deux cent mille victimes en Colombie depuis 1964, avec trois millions de personnes déplacées, l'éradication des communistes en Indonésie, évaluée à cinq cent mille victimes, les terrifiants massacres des Khmers par les leurs. Pour s'en tenir au monde arabe, combien de morts la décolonisation a-t-elle coûté à l'Algérie et à la France? Du côté algérien, cinq cent mille de l'aveu des Français, un million d'après les Algériens ; soixante-dix mille jeunes soldats français y ont laissé la vie. La petite guerre entre les deux mouvements de libération algériens, le FLN et le MNA de Messali Hadj a fait dix mille morts ; puis le FLN, victorieux, a massacré au moins cinquante mille harkis. On ne connaît pas le nombre de morts dans la guerre entre l'Égypte et la Libye, entre l'Algérie et la Maroc, entre le Tchad et la Libye. Combien d'égorgés ou de mitraillés par les intégristes algériens ou par les représailles de l'armée ? 150 000 de l'aveu du gouvernement algérien. L'Irakien Saddam Hussein a gazé des dizaines de milliers de ses sujets. Faut-il revenir sur le million d'Arméniens assassinés par les Turcs ? Sur les pogroms russes ?… Arrêtons l'énoncé de cette sinistre arithmétique, qui s'enrichit tous les jours ; au cours d'une émeute à Bombay, à propos d'une mosquée mal placée, les Indiens, qui se targuent d'être la plus grande démocratie du monde, et la plus tolérante, ont massacré deux mille musulmans : l'équivalent en deux jours de l'*Intifada* en deux ans. Considéré globalement, le tiers-monde n'a jamais cessé d'être le théâtre d'horribles guerres tribales, ethniques et nationales.

Alors pourquoi une telle surestimation de l'affaire palestinienne, sinon parce qu'elle concerne le géant arabo-musulman, 300 millions d'hommes, assuré de la complaisance d'un milliard de musulmans ? Et qu'elle y a une telle place dans son imaginaire et, par contamination, dans l'imaginaire du monde ? Elle résume, illustre et entretient deux mythes de compensation et de revendication toujours vivaces chez les peuples arabes. Qui dureront vraisemblablement tant que durera leur stagnation, et qui seront, en outre, tactiquement entretenus par leurs dirigeants.

Le premier de ces mythes est que si les Arabes s'unifiaient ils pourraient redevenir une puissance comparable sinon supérieure à celle de leurs empires du passé. L'Égyptien Nasser l'a repris à son compte : il voulait mettre, au service d'un même pouvoir politique, le pétrole et la démographie arabe. (« Nous gagnerons avec le ventre de nos femmes ! ») Bien que la démographie débridée soit l'une des plaies du monde arabe, dont les revenus sont régulièrement dépassés par ce flot. Si les ressources procurées par le pétrole étaient au bénéfice de ces masses innombrables, la situation changerait totalement. Les Arabes disposent en outre de l'espace et de la géographie ; l'argent, obtenu par la vente du pétrole, permet d'acheter des armes et quelquefois les hommes, même au cœur de l'Occident, on l'a vu lors de quelques scandales. Le Libyen Kadhafi s'est voulu le successeur de Nasser, mort trop tôt d'une crise cardiaque pour vérifier si son rêve était réalisable. Puis l'Irakien Saddam Hussein, le dernier en date, devenu à son tour le héros des foules arabes. On a crié : « Nous sommes tous des Saddam ! »

dans les banlieues parisiennes, à Ramallah en Palestine et à Amman en Jordanie. Faut-il encore que les nantis consentent à cette caisse et à cette action communes, mais dans le rêve tout est permis; et au besoin on les y contraindra. Tel est le dessein supplémentaire du Saoudien Ben Laden, qui utilise la terreur, autant contre l'Occident que pour provoquer l'effondrement des régimes arabes qui résistent à un projet si grandiose.

Le deuxième mythe, corrélatif du premier, est que l'État d'Israël est une épine, une masse cancéreuse dans le corps de la nation arabe, qui empêche cette unification; la destruction d'Israël serait donc la condition préalable de cette stratégie unitaire.

Or, jusqu'ici, les nations arabes ont échoué dans cette double tâche; l'interminable conflit israélo-palestinien est la preuve de cet échec et l'on peut comprendre l'ampleur de cette déception. Ils n'auront de cesse que de la surmonter, en entretenant le conflit. Une seule fois ils ont failli réussir : lors de la guerre dite de Kippour, l'existence de l'État hébreu, encerclé de tous côtés, coupé en deux par plusieurs armées arabes, fut réellement menacée; mais Israël s'est finalement sorti de cette épreuve; et les chefs arabes savaient qu'ils avaient bénéficié de l'aide technique et militaire de conseillers soviétiques sous uniforme égyptien. Mais les Arabes n'ont jamais cessé de se préparer, matériellement et psychologiquement, à cette lutte décisive. Les guerres ayant échoué, ils ont recours maintenant à la pression diplomatique et au terrorisme. Boycottages, attentats, financements occultes de terroristes, batailles permanentes dans les instances internationales, au sein des organisations universitaires, culturelles et scientifiques, sportives, réimpressions et massives distributions de la littérature antisémite, comme les fameux et faux *Protocoles des Sages de Sion*, culture et enseignement systématiques de la haine dans le public et dans tout le cursus éducatif. Pour en faire des bombes à retardement, ils ont maintenu les réfugiés palestiniens dans des camps où ils n'avaient même pas le droit de construire en dur ; sinon ils se seraient depuis longtemps intégrés dans les pays arabes d'accueil, ce qu'il fallait empêcher à tout prix. Les écrits arabes à usage interne n'en font pas mystère, il s'agit ouvertement de détruire Israël. Le premier président de la République algérienne, Ben Bella, n'a-t-il pas été jusqu'à déclarer que, s'il disposait de la bombe atomique, il l'aurait fait larguer sur Israël, qui est devenu le mal absolu ? En parler autrement que comme d'un malheur historique sinon métaphysique, dont il faut débarrasser le monde arabe, devient un blasphème qu'il faut punir ; lui faire une place sur une carte, un sacrilège, une félonie ; comme si en niant son existence on le réduisait magiquement au néant. L'opération est facilitée par le fait que les Juifs fournissent un excellent bouc émissaire aux difficultés des peuples. L'existence d'Israël est décidément trop commode : «Comprenez-moi, confie à la radio, dans un aveu désespéré, un étudiant arabe, j'ai été élevé depuis ma naissance dans cette atmosphère où le conflit avec les sionistes était fondamental, que sa résolution devait passer avant celle de tous les autres conflits; car il est la source de tous nos malheurs, et vous me demandez de le relativiser! J'essaie quelquefois, je n'y arrive pas! »

Opération réussie donc, mais à quel prix! Intoxication de la jeunesse, emprise sur les intellectuels, fixation de l'opinion arabe sur cet unique foyer, diversion de tous les autres problèmes. L'affaire palestinienne et l'entretien de l'intégrisme religieux dans le monde, tous deux financés par l'Arabie saoudite, concourent à la stabilité du royaume. Mais c'est une victoire à la Pyrrhus. Le résultat est une stagnation dans tous les domaines, le détournement des forces vives vers le mythe. Le recours au mythe, s'il aide à vivre, est rarement gratuit; pour le moins il écarte du réel. N'est-ce pas ce que souhaitent les nantis? L'affaire palestinienne, légitime mais mineure, devient symboliquement démesurée. Elle fait partie des pièges mis au point par les privilégiés pour maintenir leur peuple dans la sujétion et le marasme.

Le rapport de l'ONU de 2002 sur la région note la faillite du développement dans le monde arabe ; la même année, en juillet, encore à la demande de l'ONU, des spécialistes arabes, réunis en commission, ont rédigé, après enquête, un rapport sur l'état du monde arabo-musulman : après en avoir énuméré les plaies, ils ont dénoncé l'instrumentalisation du conflit israélo-palestinien pour détourner l'attention de la recherche des solutions effectives. En 2003, un autre rapport conclut non seulement à la stagnation mais au recul global du monde arabe. Sous la pression de la diplomatie arabe, ces rapports sont restés confidentiels.

LA DÉMISSION DES INTELLECTUELS

Même les intellectuels ne les ont pas repris à leur compte. Il n'était pourtant pas nécessaire d'être un expert pour percevoir ces évidences. Il y fallait seulement quelque courage ; or, à de très rares exceptions près, ils ne l'ont pas eu. Ils semblaient au contraire gagnés par la même paralysie de la pensée et de l'action. Ils ont formulé des excuses. La plus fréquente était celle de la solidarité : on ne doit pas accabler son peuple lorsqu'il est dans la misère ; ce serait apporter de l'eau au moulin de ses ennemis. On peut comprendre aussi que mal guéris eux-mêmes de leur ancienne sujétion, dont ils gardent des cicatrices encore douloureuses, toute critique, fût-elle justifiée, leur fait soupçonner une malveillance sournoise, écho de l'agression des colonisateurs, qui déclenche en eux une vague émotionnelle.

Mais en y cédant, ils renoncent à leur fonction spécifique, celle d'une juste évaluation des actuelles carences collectives, laquelle est le préalable nécessaire à un changement salutaire. N'est-ce pas ce combat critique, mené en permanence par les penseurs occidentaux, qui a libéré la société moderne des tutelles obscurantistes, lui a donné son dynamisme et sa créativité, source de tous les progrès ? Aux périodes où la civilisation islamique était conquérante, ses intellectuels bénéficiaient de plus de libertés. Il n'y a guère aujourd'hui l'équivalent d'un Omar Khayyam qui avait l'audace sacrilège de faire l'éloge du vin et des femmes, et même d'une discrète ironie contre les choses de la religion.

Il n'est pas égal — il est vrai encore — d'être un intellectuel des bords de Seine ou de Téhéran, de Damas ou d'Alger. Les risques encourus ne sont pas comparables : une prompte accusation de trahison, sinon de blasphème, incite à la prudence. Le malheureux Salman Rushdie en a fait l'expérience, qui mène depuis des années une existence de proscrit, attendant quotidiennement la mort. La première fois que parut un livre sur l'athéisme dans le monde arabe, son auteur, le professeur Sadok el Azem, a été renvoyé de l'université de Beyrouth. Mais, même réfugiés dans les grandes cités européennes, les intellectuels arabes ont continué à se taire, comme s'ils avaient intériorisé les interdits de leur communauté d'origine. L'un des plus notables d'entre eux, l'Arabo-Américain Edward Saïd, chrétien toutefois, n'a-t-il pas été jusqu'à les accuser de lâcheté ? Si le danger peut paralyser chacun individuellement, pourquoi ne sont-ils pas unis dans une collective revendication dénonciatrice ?

Depuis quelque temps, l'accélération de l'histoire, ses défis de plus en plus pressants, les revendications islamistes désormais manifestes, la violence, les réactions de l'Occident, la guerre contre les talibans, les ambiguïtés de l'affaire irakienne, et, cependant, l'ankylose continue des tyrannies, la stagnation sinon la régression des mœurs, peut-être aussi un embarras devant les regards interrogateurs de leurs pairs européens, semblent troubler suffisamment certains d'entre eux pour les faire s'aventurer hors de leur réserve. Quelques frissons ont enfin pris naissance à la surface de leur apparente immobilité. Ne vient-il pas de se fonder à Paris des associations de musulmans laïcs, encore modestes mais encourageantes ! Mais il s'agit encore le plus souvent d'apologétiques, de plaidoiries pour défendre les leurs et non de véritables audaces, fécondes surtout lorsqu'elles sont des remises en question de soi et des siens. Dire la vérité à son peuple, même si les autres peuvent l'entendre et s'en servir, n'est pas ajouter à ses misères mais au contraire le respecter et l'aider. La mauvaise foi des groupes étant pire que celle des individus, il faut que leurs membres, plus clairvoyants et plus courageux, entreprennent de les éclairer. Si personne ne veut se donner la peine de cette mission, alors tant pis pour les groupes.

Il aurait fallu enfin que les intellectuels arabo-musulmans s'appuient sur une autre tradition que celle de la soumission aux dogmes et aux pouvoirs, de l'alignement sur l'opinion. Or il n'existe plus, s'il a déjà existé, dans le monde arabo-musulman, ce grand tribunal public, propre à la démocratie, où chacun peut, contradictoirement, émettre son avis sans risque excessif. Les véritables controverses sont rares, sinon sur des points de détail sans importance, où les désaccords le sont sur un fond d'accord. De sorte que la dénonciation des horreurs et des scandales vient toujours de l'extérieur, d'étrangers à la communauté, ce qui les fait soupçonner de parti pris et de perversité. Ainsi, pas un mot jusqu'ici sur le stupéfiant phénomène des attentats-suicides, qui posent des problèmes à la fois politiques et moraux. On n'attend pas d'eux qu'ils soient nécessairement pour ou contre, mais qu'ils s'en saisissent ouvertement, même s'ils doivent être en désaccord entre eux. À peine quelques murmures sur la condition faite aux femmes. Pas une déclaration sur le sort des minorités, dont certains membres ont quelquefois contribué à l'indépendance du pays, au péril de leur vie ; pas un signe de reconnaissance ; au contraire, le plus souvent, une élimination progressive des cadres de la nation. Une grande occasion a été ainsi perdue d'édifier, au moins en paroles, une nation ouverte et multiculturelle, incluant les Kabyles algériens, les coptes égyptiens, les juifs et les chrétiens... en somme ce que les intellectuels vivant en Occident réclament pour eux-mêmes des pays hôtes ! Presque personne ne s'est ouvertement opposé au régime des talibans, ou avec des arguments si ambigus qu'on se demande s'il ne s'agit pas, malgré tout, d'une approbation déguisée. Personne n'a osé condamner, sinon en privé, Saddam Hussein ni soutenu la nécessité de mettre le dictateur hors d'état de nuire. Presque personne n'a semblé hésiter sur le droit à l'existence de l'État d'Israël, même assorti de condamnations. Il règne dans les publics arabes, on le sait, un antiaméricanisme virulent. Dans la mesure où ils croient que les USA agissent contre les intérêts arabes on peut le comprendre ; mais n'est-il pas étonnant qu'il n'y ait aucune voix discordante, même à tort ?

Ce fut toujours l'unanimité dans le silence, ou un embarras qui ne vaut guère mieux. Il y a les casuistes qui s'efforcent de découvrir dans le Coran et ses interprètes de quoi justifier l'injustifiable, oubliant délibérément les passages contraires ; les historiens-apologistes qui s'évertuent à expliquer doctement que ce qui est aujourd'hui critiquable dans l'islam n'est qu'un reste de l'époque antéislamique, oubliant que l'on aurait pu s'en débarrasser depuis. Pourquoi, par exemple, ne pas avoir achevé la transformation de la condition féminine ? Aboli la condition du *dhimi*, étranger protégé mais à peine citoyen, jamais l'égal du musulman même devant la loi ? Il y a les tartuffes, qui affichent leur obéissance mais n'en pensent pas moins, condamnant par exemple l'usage de l'alcool en public et buvant consciencieusement à la maison avec leurs amis ; ceux qui pratiquent un double langage, démocrates et tolérants à l'étranger, qui se transforment en fils soumis dès qu'ils ont réintégré le pays natal ; les fanatiques déguisés en démocrates ; les opportunistes, qui approuvent le pouvoir en tout, en échange d'une place à son ombre ; le plus grand nombre enfin, les muets volontaires, les autistes, qui ont perdu l'usage de leurs oreilles, de leurs yeux et de la parole, devenus complices malgré eux par tacite approbation. Que d'efforts au contraire pour démontrer que « l'islam est compatible avec les droits de l'homme », qu'il existe « un islam modéré », tolérant, non violent, et même, selon le goût de l'époque, humaniste et universaliste, à coups de quelques rares citations plus tolérantes en effet, et en négligeant toutes celles qui prônent l'exclusion et la violence. Oubliant que

Mohammed fut aussi un chef de guerre, qui partageait le butin avec ses troupes ; que sa succession fut l'occasion de massacres de prétendants ; que l'islam fut conquérant non seulement par la parole mais par les armes, comme du reste longtemps le christianisme. Plus généralement, pourquoi demander à des textes, sans doute intéressants et qui ont fait date, plus qu'ils ne peuvent donner, sinon pour continuer une apologétique déguisée ? Alors qu'il faudrait les placer sur une même étagère, avec les textes religieux des autres traditions, comme une contribution à l'histoire de la littérature mondiale ? Rappeler cela n'est pas attaquer particulièrement l'islam ; toutes les religions sont intolérantes, exclusives et contraignantes, si ce n'est violentes. La conception d'un « islam des Lumières » ou celle d'un « islam modéré », que certains se plaisent à défendre, est un malentendu : il n'existe pas de religion modérée, s'il existe des croyants plus ou moins fidèles, plus ou moins respectueux des dogmes et des rites, qui d'ailleurs suscitent le courroux et l'ironie des intégristes.

En somme, il ne manque au tableau que le personnage de l'esprit fort, franchement athée, ou disons prudemment agnostique, comme il en a existé dans l'histoire de l'islam, même s'il le payait quelquefois de sa vie. N'y a-t-il donc plus d'esprit indépendant dans le vaste monde musulman ? Presque personne qui prenne le parti de

Voltaire ou de Nietzsche, contre les penseurs traditionnels, ou même — horreur! — contre les Saintes Écritures, ouvertement et non d'une manière si détournée qu'on hésite sur sa pensée véritable? Il est très probable que si, on le découvre dans les conversations privées. Mais si les intégristes — il faut leur reconnaître cette franchise — clament leurs convictions rétrogrades, et annoncent qu'ils les imposeront tôt ou tard, par la violence et le meurtre s'il le faut, les intellectuels, eux, continuent à se taire; terrorisés par les menaces des intégristes, les hurlements des foules et l'emprise persistante de la loi religieuse, la *Charia*. On continue, il est vrai, à risquer la mort, ou la mort juridique, en pays musulman pour cause d'apostasie supposée. En 2002 encore, il s'est trouvé des magistrats égyptiens pour incarcérer, faire torturer et condamner une cinquantaine d'homosexuels. De ceux qui niaient leur crime, on a exigé un comique «certificat de virginité anale». Il n'y a pas eu, pour les défendre, de pétition d'intellectuels arabes, ni des autres d'ailleurs. Un autre tribunal a ordonné la séparation d'époux légitimes et qui s'aimaient, pour cause d'opinion jugée perverse de l'un des conjoints. Ah! si tous les agnostiques arabo-musulmans voulaient se donner la main, les intégristes reculeraient, et le monde arabe se transformerait. Mais ils sont toujours terrifiés devant la menace d'anathème, qui signifierait la mise en doute de leur identité. «Vous n'êtes pas un *vrai* musulman » était considéré jusqu'ici comme une injure dangereuse. Sans voir que, ce faisant, ils abandonnaient aux intégristes le droit de définir ce qu'est un musulman. Ne sont-ils pas alors les complices résignés de leurs accusateurs ? Ce n'est pas aux intégristes à définir qui est musulman et qui ne l'est pas. Être musulman n'est d'ailleurs pas une affaire de définition dogmatique mais, comme la condition juive ou celle des Tziganes, d'abord une condition objective, qui échappe relativement aux uns et aux autres.

Encore si leur docilité les sauvait ! mais ils continuent à être suspects, à l'opinion et au pouvoir, comme tous les intellectuels du monde, ce qui est à leur honneur mais leur suppose d'ailleurs un impact excessif ; de même que l'on a attribué le déclenchement de la Révolution française à Voltaire et à Rousseau, au lieu d'en rechercher les causes dans les iniquités et la paralysie de l'Ancien Régime français.

FICTIONS ET RÉALITÉ

Puisque le débat philosophique et politique est stérile, parce que soumis ou muselé, regardons du côté de la littérature. Les écrivains disposent d'un merveilleux recours, l'imaginaire, qui leur permet de feindre. Ils mettent au compte de personnages fictifs ce qu'ils ressentent et pensent eux-mêmes. Cinquante romans de la même période placés bout à bout sont plus riches de révélations que des tonnes de papier journal imprimé sous une dictature. Balzac et Maupassant reflètent mieux leur époque, ses drames et ses milieux sociaux, que les analystes conformistes de la même période. L'écrivain est un fabulateur, mais souvent aussi, malgré lui, un dénonciateur. Or que disent les œuvres des écrivains ex-colonisés?

D'abord ceci qui est un paradoxe : il est plus difficile d'être un écrivain dans la période post-coloniale que pendant la colonisation. Avant, le décolonisé écrivait dans la langue du colonisateur, la seule qu'il maîtrisait vraiment, même contre le colonisateur. Dénonçant, directement ou d'une manière voilée, la colonisation, son injustice fondamentale, ses petites misères quotidiennes, la présence oppressante et humiliante de la police et de l'armée étrangères, l'exploitation économique, les frustrations politiques et l'étouffement culturel, il contribuait, avec sa plume, à la révolte des siens. S'exprimant dans la langue des dominants, il n'était entendu, il est vrai, que par eux ; mais il pouvait, si peu que ce soit, agir, en touchant leur opinion publique.

Voilà que dorénavant, n'en ayant pas appris une autre, il doit retourner cette même langue contre les siens. Continuant à faire son métier, il devrait en dépeindre les carences, les égoïsmes, la profitable complicité de ses classes dirigeantes, les exactions de son propre gouvernement. Or ce que l'on appelle un esprit libre, exerçant une libre critique au besoin contre les siens, n'existe toujours pas dans la société nouvelle. Excepté les arts plastiques et la musique, dont le langage est inaudible par la majorité, les écrits sont tous suspects et contrôlés. Ne sont tolérés que les conformismes, la louange aux pouvoirs en place, politiques et religieux, les fadeurs folkloriques, les rappels d'un passé supposé glorieux pour faire oublier les médiocrités du présent. L'écrivain ne peut que « suggérer », à propos de quelque contrée imaginaire, ou par l'intermédiaire de quelque rhétorique symboliste ; pour le reste, il partagera le grand silence des intellectuels. On n'aura pas beaucoup entendu les écrivains, pas plus que les intellectuels noirs, lors des génocides biafrais, ougandais ou soudanais ; pas plus les écrivains que les intellectuels maghrébins, lors des absurdes et sanglants conflits entre les « pays frères », ou la liquidation des minorités ; les massacres des Kurdes par les Irakiens n'ont guère impressionné les intellectuels et les écrivains irakiens, même en exil ; pas plus que les intellectuels turcs ne l'ont été par le calvaire des Arméniens.

Comment ont-ils pu rester muets alors que l'arbitraire, la corruption, le crime foisonnaient autour d'eux ? Certes il y a les risques — les écrivains furent toujours plus nombreux en prison que la moyenne des citoyens ; si on y ajoutait les journalistes, le nombre serait impressionnant. Mais il y avait surtout leurs propres résistances. Il leur paraissait insultant pour leurs communautés d'insister sur les famines persistantes, qui faisaient s'agglomérer la misère autour des villes, le nombre des sans-logis, de ceux que l'on ramassait chaque matin sur les trottoirs des villes indiennes ou latino-américaines, morts de faim et de froid durant la nuit. Comme tout mâle, ils étaient ambigus à propos de la sexualité des femmes, de leur servage continué, l'une des plaies du monde arabo-musulman, l'une des causes de son blocage. Ils n'arrivaient toujours pas à reconsidérer la place de la religion dans la cité islamique ; ils n'osaient pas affirmer sa nécessaire séparation d'avec la politique. Ils continuaient à confondre, ou à feindre de confondre, la foi et l'appartenance sociale et historique, comme s'il était impossible d'être un Arabe non musulman ; nous sommes quelques-uns à en avoir pâti. Il est remarquable que les femmes écrivaines, au Maghreb et dans l'ensemble du tiers-monde, soient aujourd'hui plus nombreuses et plus libres que les hommes : c'est qu'elles ont tout à gagner à la dénonciation, et souhaitent une transformation des mœurs.

À supposer enfin que l'écrivain ait trouvé la force, ou le subterfuge (ainsi le jeu des pseudonymes fleurit, comme dans les monarchies absolues), à quoi la littérature pourvoit heureusement en effet, pour témoigner malgré tout, et à supposer que les censeurs ferment les yeux, feignant à leur tour de croire qu'il ne s'agit que d'aimables inventions d'irresponsables — car les censeurs savent lire également entre les lignes, et ont leur propre police —, l'écrivain se heurtera à une deuxième difficulté : celle du lecteur introuvable.

Entre lui et son lecteur espéré se dresse un obstacle imprévu : dans quelle langue doit-il écrire pour se faire entendre ? Les hésitations sur le choix définitif d'une langue commune, entre la langue héritée des colonisateurs et la langue nationale, les besoins tâtonnants de l'enseignement, les balbutiements et les fragilités des maisons d'édition locales, même subventionnées par le pouvoir, et pour cela surveillées et tenues en laisse, ne favorisent guère la naissance d'un public adulte, pas plus que celle d'auteurs autonomes. De temps en temps, pour mettre fin à ce déchirement langagier, et pour affirmer enfin l'exclusivité de la langue traditionnelle, un gouvernement décide l'arabisation forcée dans les écoles, les administrations et jusqu'aux devantures des magasins ; il fut un temps où le français fut anathémisé, où les anciens élèves des lycées français furent écartés des responsabilités ; les francophones furent montrés du doigt comme de mauvais citoyens, presque des traîtres. Ce qui a fait croire, à moi y compris, que la production littéraire d'expression française touchait à sa fin ; en quoi nous

nous trompions heureusement. De même pour les langues autres que l'arabe : « On me passera sur le corps, proclamait l'actuel président algérien, plutôt que de laisser le kabyle devenir une langue officielle ! » — les prénoms kabyles sont toujours proscrits en Algérie. Mais, outre la gêne apportée dans l'exercice de la vie quotidienne, encore tout imprégnée de la langue du colonisateur, le parler d'une nation ne se décide pas par un oukase. Qui comprend convenablement un discours dans un arabe purement classique ? Même le choix à l'intérieur de l'arabe n'est pas aisé ; quelle variété de langue faut-il choisir ? La langue maternelle, celle de la rue ? Celle, moyenne, de la presse et des médias ? Ou celle du Coran, décrétée intemporelle, alors que toute langue évolue irrésistiblement, creusant son lit au fil du temps, selon les méandres de la vie, au point qu'elle en deviendra presque méconnaissable. Quel Français est capable aujourd'hui de lire aisément Rabelais ou même Montaigne ? Tout pronostic est ici aléatoire, mais contre la volonté des traditionalistes, qui s'opposent même à la voyellisation, parce que l'arabe coranique n'est pas voyellé, il est probable que la langue du Coran deviendra un jour, malgré les efforts d'unification scolaire, aussi désuète que le latin. Prétendre fixer définitivement une langue est une utopie parce que le réel qu'elle doit exprimer n'est pas fixe. En tout cas, l'écrivain véritable n'écrit pas dans une langue sacrée parce qu'il réinvente sa propre langue. Toute langue imposée est une langue guindée, qui conduit à la rhétorique, à l'emphase et au symbole. C'est encore largement le cas de l'arabe classique, qui demeure enfermé dans le carcan coranique.

Alors l'écrivain s'en tiendra à la langue du colonisateur ? Mais, ce faisant, il continuera à s'adresser principalement aux ex-métropolitains, dont il attend la consécration. Drame commun du reste à tous les francophones, terrorisés par Paris comme le sont aussi les provinciaux de l'Hexagone. Se sentant en outre confusément coupable de trahison, l'écrivain décolonisé se livrera à des grimaces et à des contorsions pour s'en excuser ; il prétendra par exemple qu'il aura détourné, violé, détruit la langue du colonisateur, et autres sottises comme si tous les écrivains n'en faisaient pas autant ! Alors que la simple vérité est que, pour le moment et pour longtemps peut-être, c'est le seul outil qu'il maîtrise, et que, sans lui, il serait réduit au silence. Sans doute, la langue fait-elle partie de la personnalité collective, dont elle est l'un des ciments, mais elle est aussi un outil de communication ; or le meilleur outil de communication demeure la langue de l'étranger. Il en était déjà ainsi au temps de la colonisation, mais fallait-il tant de luttes pour retrouver ce même dilemme ?

Cette carence des intellectuels, démission ou trahison, n'est pas pour rien dans la léthargie culturelle, même si elle a quelques excuses et ne fait que traduire une carence plus générale. Elle laisse en tout cas le champ libre à ceux qui optent pour l'effusion mystique contre la rationalité, les étroitesses de la stricte appartenance contre les ouvertures de l'universalisme ; à ceux qui, contre un présent déprimant et humiliant, ne savent que rêver d'un retour à un âge d'or, dans une fusion renouvelée, la seule féconde, proclament-ils, entre la religion, la culture et la politique, où refleuriraient enfin des splendeurs du passé, dans quelque Andalousie, un califat renaissant à la manière de Bagdad, où auraient régné la tolérance, la justice et la prospérité ; oubliant que, dans ces prétendus paradis sur terre, ils dominaient les minoritaires, pour lesquels ils n'avaient au mieux qu'une bienveillance condescendante. Mais on ne retourne pas plus en arrière dans l'histoire que dans le ventre des mères. Un jour peut-être se réveillera la belle au bois dormant, mais elle aura dormi si longtemps qu'elle sera déjà vieillie et ridée ; pour la création comme pour la procréation, mieux vaut s'adresser à une femme encore jeune.

La culture est un bric-à-brac où chacun puise selon ses désirs et ses peurs, où voisinent, souvent enchevêtrés, le meilleur et le pire, les fantasmes et l'esprit critique, les recettes périmées et le jaillissement du génie individuel, pour se proposer des réponses nouvelles, techniques ou rassurantes, au défi de la nature et de l'histoire, aux difficultés de la vie en commun, à l'inconnu qui est en nous et à celui qui nous environne. La découverte également d'harmonies qui nous aident à vivre, les arts, les philosophies, les droits et les morales, mais aussi nos passions les plus douteuses, nos préjugés et nos avidités, nos représentations compensatrices, nos dérisoires recours magiques et superstitieux, nos espérances religieuses. On ne peut s'étonner alors si le potentat et ses servants se méfient tant du premier aspect de la culture et avantagent le second, qui doit contribuer au travail de persuasion et de cohésion autour de sa personne et des pouvoirs en place. Mais, ce faisant, le potentat tue dans l'œuf toutes les velléités de renouveau.

La culture vivante est une permanente remise en question des acquis traditionnels pour les éprouver, les adapter à l'inéluctable transformation de toute société. Il est vrai qu'elle est ainsi dangereuse par nature, iconoclaste et hérétique, parce qu'elle a besoin de se débarrasser de tous les carcans, pour respirer librement. Contre ces tentatives balbutiantes, le potentat avantagera au contraire la partie la plus fossilisée de la tradition.

Il fera exhumer, honorer comme s'il s'agissait d'un contemporain, un penseur du Moyen Âge, Averroès par exemple, qui se trouvera plus glorifié qu'il ne l'a été à son époque, feignant d'oublier que le philosophe fut suspect, durant sa vie, pour la partie novatrice de son œuvre. Or les siècles se sont écoulés depuis. Ces penseurs vénérables, quel que fût leur mérite en leur temps, sont devenus inopérants face à nos problèmes actuels. Le potentat ressuscitera tel héros historique, devenu le symbole, contradictoire, à la fois d'un passé prestigieux et d'un avenir de lumières — passant sous silence qu'il fut souvent en butte aux plus conservateurs de ses contemporains. Ainsi, après avoir brûlé Jeanne d'Arc, on en a fait une sainte, on a recueilli ses cendres devenues des reliques. Il encouragera les manifestations folkloriques les plus surannées, tout comme sous la colonisation — les fantasias avec de vieux tromblons, les défilés régionaux en costumes, précédés de fanfares et parsemés d'oriflammes à la gloire des saints locaux. Il flattera les mythes ethniques ou nationaux ; il en inventera d'autres si nécessaire ; il suggérera qu'il est lui-même la réincarnation des grands hommes du passé, Saladin par exemple, missionné par le ciel pour cette grande tâche fixée par le destin.

Sans doute le rappel des gloires du passé, si gloire il y a, gommée par la colonisation, n'est-il pas inutile. Il redonne, dans un premier temps,

quelque fierté à un peuple qui y aspirait ; il forti-
fie une identité collective ébranlée par des
décennies de domination étrangère. La renais-
sance de la langue nationale, par exemple, est
l'une de ces réaffirmations du moi collectif. Mais
la langue doit non seulement exprimer l'âme
singulière de la nation, mais aussi répondre aux
nécessités quotidiennes, nationales et internationales. Or une trop longue léthargie l'a rendue,
momentanément du moins, culturellement et
techniquement inapte. Elle est encore incapable
de prendre en charge une culture véritable,
c'est-à-dire novatrice et inventive. Il est plus
commode, jusqu'ici, de parler anglais ou français qu'arabe ou hindi. Quelquefois l'éparpillement des langues locales est tel qu'il a fallu
se résoudre à n'en avantager aucune. On
s'est résigné à voir triompher la langue de l'ex-
colonisateur, seul point commun entre les
ethnies. Ainsi le portugais métropolitain est-il
la langue officielle de tous les habitants du Brésil, son ancienne colonie, écrivains y compris.
En Afrique du Nord, pendant longtemps, les
conseils de ministres se sont faits plus fréquemment en français qu'en arabe, parce que les
ministres, issus principalement des élites bour-
geoises, manipulaient mieux le français que
l'arabe. Les tentatives d'arabisation systématique
ont été si catastrophiques qu'il a fallu faire
machine arrière. Paradoxalement, l'imprégna-
tion par la culture de l'ex-colonisateur n'a

jamais été aussi importante, à cause des nouveaux publics qui souvent manient mieux la langue de l'étranger ; sans oublier l'influence grandissante des chaînes de télévision et de radio. La technologie également demeure de langue française ou anglaise.

Sans doute la culture est-elle aussi un lien, un ciment social, le lieu d'une communion, un refuge contre les misères de l'existence, une balise et une soupape ; mais cet ancrage exclusif en amont et en aval — dans un passé reconstruit ou dans les splendeurs d'un avenir hypothétique, la valorisation excessive du passé et l'espoir démesuré dans le futur, la navigation entre les fantômes et les mythes, un âge d'or passéiste et un âge d'or lointain —, aboutit au même résultat : l'écrasement du présent. N'est-ce pas ce que souhaitent les autocrates ? Au lieu d'aider à la libération des esprits, à leur épanouissement, la pseudo-culture les détourne de la véritable. Or l'insertion dans le monde nouveau, qui s'impose dorénavant à tous, exige des réponses urgentes.

Or, même s'il est pénible de l'admettre pour l'orgueil national, les progrès acquis par l'Occident sont souvent plus adaptés que les recettes traditionnelles. Il n'y a pas, comme on le répète complaisamment, plusieurs civilisations qui s'affrontent, mais une seule, désormais planétaire, qui s'impose à tous, intégristes y compris, qui ne méprisent apparemment pas le téléphone portable, Internet, le système bancaire, les automobiles et les avions, en attendant peut-être un jour les fusées et des armes sophistiquées, qu'ils n'ont tout de même pas inventées. Il n'est pas sûr qu'ils soient tout à fait sincères en prétendant défendre des valeurs spécifiques, de plus en plus invivables. Le véritable défi qui se pose à tous pour le moment n'est-il pas d'amener tous les habitants de la planète à la vie la plus saine et la plus confortable, par la maîtrise de la nature, sans le payer par des convulsions meurtrières? L'immobilisme, croit-on, serait la meilleure garantie des privilèges, mais, sous la neige apparente, ces pays sont des volcans en sommeil.

LE COMPLOT DES ENTURBANNÉS

S'étonnera-t-on encore du recours systématique et inusable à la religion? Le potentat accordera à ses servants toutes les faveurs, toutes les préséances, en échange de leur empire sur les foules. Le contraste est saisissant entre le dénuement résigné des populations, entretenu par cet appel permanent à la soumission, et la présence glorieuse de la religion, des mosquées ou des églises qui ponctuent le paysage, des minarets qui trouent le ciel, les voix, dorénavant amplifiées par les haut-parleurs, des muezzins qui rythment la journée. Partout les nouveaux maîtres construisent plus de *médersas* que d'écoles. Au Maroc, les illettrés constituent cinquante pour cent de la population, mais le précédent sultan a construit « la plus grande mosquée du monde musulman contemporain » ; le très catholique chef d'État ivoirien, Houphouët-Boigny, avait fait édifier « la plus grande cathédrale moderne ». Il en était de même au Moyen Âge occidental où les splendeurs des édifices religieux contrastaient avec la misère des paroissiens. Même la Tunisie n'a pas manqué d'inscrire dans sa constitution, à l'article I, qu'elle est un État musulman ; tant pis pour ses minorités. Bourguiba, social-démocrate à la française et probablement franc-maçon, avait d'abord décidé de secouer le joug des *enturbannés* — le terme est de lui ; mais, après ses rodomontades, dont un fameux verre d'orangeade (pas d'alcool, tout de même !), bu à la télévision (« Vous feriez mieux, a-t-il courageusement déclaré à ses compatriotes sidérés, de consacrer vos énergies au développement du pays, au lieu de vous affaiblir à jeûner le mois entier de ramadan ! ») ; il recula devant l'immensité de la tâche. Le bourguibisme fut une chance inespérée pour la Tunisie et un modèle possible pour le monde arabe, mais ce ne fut qu'un feu de paille, les résistances étant trop fortes.

Bourguiba s'est ensuite dépêché, lui aussi, de quadriller le pays de mosquées. Il comprit, en tribun avisé, qu'un conflit persistant avec les enturbannés aurait été périlleux pour le régime ; ils finirent d'ailleurs par avoir sa peau. Son successeur, Ben Ali, retiendra la leçon : tout en les gardant à l'œil, il renoncera à la persécution des intégristes. Il n'ira pas jusqu'à encourager à nouveau le port du voile pour les femmes et la barbe pour les hommes, il demandera simplement quelque discrétion. L'Arabie saoudite prodigue ses dons pour construire encore et encore des mosquées à travers le monde ; jamais pour une école ou une université qui ne serait pas coranique et moyenâgeuse ; jamais pour un dispensaire s'il n'est pas accolé à une mosquée, à laquelle il sert d'antichambre.

Pourquoi le potentat, fût-il laïc, se priverait-il d'une aide si commode ? Pourquoi l'Arabie saoudite, confite dans ses milliards de dollars gérés au profit exclusif d'un clan, souhaiterait-elle un changement ? N'est-elle pas également le gérant du fabuleux et lucratif pèlerinage de La Mecque ? Un enseignement moderne risque de troubler les esprits et de les porter à regarder ailleurs. Or Dieu, immuable par essence, n'aime pas les révolutions, et les dirigeants saoudiens, comme le sultan du Maroc, « Commandeur des Croyants », sont au service de Dieu, tout comme le régime irakien ou le régime turc, qui pourtant se proclament laïcs. Il est trop tentant, au contraire, d'attiser les passions religieuses en période de crise. L'Inde hindouiste et le Pakistan musulman n'ont pas hésité l'un et l'autre à faire appel à leurs fanatiques religieux pour défendre leur politique. Durant la première guerre d'Irak, le dirigeant américain et le dirigeant irakien ont rivalisé dans l'invocation à l'aide divine. Il vaut mieux avoir Dieu avec soi que contre soi. On en profitera pour écraser les libéraux.

Mais tout se paye ; si vous élevez un petit crocodile dans votre appartement, un jour il vous mangera. Les Américains ont aidé les talibans contre les Russes, ils ont dû ultérieurement leur faire la guerre ; les Israéliens ont d'abord encouragé les intégristes palestiniens du *Hamas*, qui se sont ensuite retournés contre eux. Le pouvoir le sait ; il sait que si les intégristes gagnaient il serait éliminé ; il pratiquera donc le jeu du balancier, tantôt leur accordant des faveurs, tantôt leur serrant la vis. Le voile islamique, la barbe, les mosquées, les confréries serviront d'autant de soupapes ; mais tous les gouvernants arabes savent qu'ils élèvent des crocodiles dans leur sein. Cette aide providentielle, accordée par l'intermédiaire des prêtres, n'est pas désintéressée. C'est une entente empoisonnée où chacun, avec ses armes propres, cherche à neutraliser puis à spolier l'autre.

Car le but ultime des intégristes est toujours un État islamique, où tous les pouvoirs seraient concentrés entre leurs mains. Et dans cette lutte ouverte ils ne sont pas les plus démunis. En absence d'autres ciments dans des nations encore fragiles, la religion continue d'être l'un des fondements de l'identité commune. Elle conserve une influence tenace sur les esprits et les conduites; elle est un système relativement cohérent; elle contient des croyances, un rituel et une morale, l'un confortant l'autre, se conjuguant pour enserrer toute la vie, individuelle et collective. Elle investit toutes les fonctions sociales, économiques et culturelles; pourquoi renoncerait-elle au pouvoir politique? Il aurait fallu desserrer l'étau du religieux sur le profane, au moins dans les institutions. L'Europe y a mis quelques siècles, le monde islamique ne l'a toujours pas fait.

En attendant, le potentat se sert de cette fusion entre le politique et le religieux, même si la navigation n'est pas aisée. Il donne du fil aux intégristes tout en tenant fermement la canne. Les rassemblements pour la prière du vendredi sont autorisés par les gouvernements, sinon encouragés dans tous les pays musulmans; ils sont la marmite de Papin, où des imams déchaînés viennent exprimer, soulager, en des discours étonnants de violence pour des prêches religieux, les frustrations, les colères et les revendications des fidèles; mais les mosquées sont truffées d'indicateurs de police, qui permettent aux gouvernants d'évaluer régulièrement la température des foules. S'il y a risque de débordement, il sera temps de prendre les mesures nécessaires.

Il arrive cependant que l'histoire échappe au potentat et que les ulémas l'emportent. Il n'est pas sûr que si des élections, véritablement libres, avaient lieu dans tout le monde arabe, les intégristes ne l'emporteraient pas. On l'a vérifié en Algérie, où les militaires ont réussi de justesse à confisquer le pouvoir aux intégristes, pourtant légitimement conquis dans les urnes. La Turquie kémaliste s'est dotée d'un gouvernement islamiste ; idem en Palestine avec le Hamas ; l'Iran, apparemment conquis au libéralisme le plus moderne, a brusquement reflué vers les ténèbres du Moyen Âge. En attendant, une sournoise agitation permanente, une habile utilisation de la convivialité et du service social, dispensaires et aides aux familles, une stratégie de conversion, même dans les mariages mixtes, plus aisés en islam que partout ailleurs, la promesse d'un au-delà radieux, opposé à la misère des jours, s'efforcent de ramener à l'islam de nouveaux adeptes.

Mais la victoire des intégristes inaugurerait une marche à reculons ; aucun des problèmes qui se posent avec acuité au monde moderne ne serait résolu. Ce serait au contraire le retour systématique au passé, les références exclusives aux textes traditionnels, la méfiance envers toute nouveauté et toute réflexion critique, les restrictions sinon la suppression de la plupart des libertés citoyennes, une surveillance policière encore plus serrée que celle des potentats, les brimades accentuées contre les femmes, la séparation rigoureuse entre les sexes, l'étouffement des aspirations les plus anodines et les plus naturelles — écouter de la musique, danser, draguer — des jeunes gens, dont on aura volé la jeunesse, confisquée par ce monstre qu'est un État théocratique.

DE LA CONTRAINTE À LA VIOLENCE

Ce sera l'une des déceptions les plus dramatiques du décolonisé : il croyait en avoir fini avec la violence, or elle est partout, explosive ou latente, chaude ou institutionnelle, à l'intérieur du pays comme à l'extérieur, même dans les relations avec les nations sœurs. Après quelques décennies d'indépendance, on égorge encore en Algérie, on emprisonne en Tunisie, on torture à Cuba, on vitriolise en Iran, et même en Algérie, les visages découverts des femmes ; des charniers sont exhumés en Irak ; les populations en fuite devant le massacre imminent se chiffrent par centaines de mille, abandonnant en chemin leurs morts et leurs enfants perdus.

Outre l'exploitation économique et l'aliénation culturelle, la colonisation est l'histoire d'une insupportable contrainte ; secouée de temps en temps par une explosion, suivie d'une répression sauvage, elle-même suivie par un calme résigné, comme après une saignée, jusqu'à la prochaine crise et la même réaction du colonisateur. Or, à la libération, la violence a continué, presque avec le même visage, sinon le même bourreau. Il n'y a pas mille manières de torturer, de priver de liberté sinon de vie. On dira qu'il fallait bien consolider le pouvoir naissant contre ses ennemis potentiels, quelquefois même contre des militants indépendantistes, totalement dévoués jusque-là, mais qui n'ont pas compris que la révolution est achevée, et qu'il est absurde et dangereux de réclamer le respect de toutes les promesses. On sait que les règlements de comptes qui suivent les bouleversements sociaux ne sont pas moins atroces que les luttes libératrices. Bourguiba, le fondateur de la nation tunisienne, a dû liquider ses rivaux, qui avaient cherché à l'assassiner. L'Algérie a exécuté une bonne partie de ses premiers dirigeants ; elle n'est toujours pas sortie de ses tumultes meurtriers. Le Maroc n'a dû son calme relatif qu'à la poigne de fer de la monarchie et de ses serviteurs, qui n'ont pas empêché cependant plusieurs tentatives d'élimination du souverain. Peut-être, dira-t-on encore, un despotisme éclairé est-il nécessaire dans les commencements des nations en gésine. Ben Gourion, leader syndicaliste et premier Premier ministre israélien, a fait tirer au canon sur l'équipage d'un navire plein d'armes affrété par ses adversaires, eux-mêmes des nationalistes, alors qu'il avait négocié une trêve avec l'occupant anglais. Puis il y a les inévitables maladresses, erreurs, corruptions de la nouvelle gestion. Bourguiba, d'abord idole de la nation, affronta des émeutes dues à la faim, qu'il mit sur le compte de son ministre de l'Intérieur — qu'il limogea. Les difficultés grandissantes, les contraintes d'un régime de plus en plus menacé l'amenèrent pour survivre à faire pendre ses opposants intégristes. Dans l'ex-tiers-monde libéré, les emprisonnements et les exécutions furent probablement plus nombreux depuis les indépendances que sous les régimes coloniaux.

Certes, la violence comporte des deḡrés, depuis la simple intimidation policière jusqu'à l'intervention militaire. La dissuasion policière va de la présence obsédante des forces de l'ordre, dans un quadrillage auquel personne n'échappe, jusqu'à l'assassinat, en passant par l'emprisonnement plus ou moins légal. La délinquance, même mineure, le délit d'opinion sont sanctionnés par la réaction brutale, immédiate, étendue quelquefois aux membres de la famille. S'il y a récidive, l'accusé, considéré comme irrécupérable, disparaîtra, sans que l'on sache s'il s'agit d'une suppression définitive. Si nécessaire, il sera torturé pour évaluer l'importance du crime ; la mise à mort dépendra non de l'application de la loi, mais de l'humeur du potentat, du cynisme meurtrier du régime. Généralement, le régime peut se targuer de gagner la partie : la soumission est apparemment intériorisée, les conduites, les esprits s'alignent sur les exigences des gouvernants. Mais dorénavant, le décolonisé aura deux vies ; la première, publique, celle d'un citoyen respectueux de l'ordre, admirateur du leader national, croyant sincère et pratiquant fidèle, et même satisfait ; la seconde, privée, où il n'en pense pas moins, et viole discrètement les prescriptions coraniques. Il se rabattra sur quelques sucettes ; outre l'enrichissement et ce qu'il procure, des manifestations ostentatoires, d'ailleurs communes à toutes les bourgeoisies neuves ; c'est à qui aura la résidence secondaire la plus opulente, pas toujours du meilleur goût, de préférence non loin du palais présidentiel ; la voiture la plus puissante et du modèle le plus récent ; on achètera à profusion des tableaux de peintres locaux (tant mieux pour les peintres) ; on organisera des fêtes bruyantes, qui tiendront éveillé tout le quartier, pour montrer sa munificence. Après tout, la schizophrénie est aussi un mode de vie.

Contre ceux qui, malgré tout, frondent cet arrangement, et qui semblent mettre en doute, sinon en péril, tout le système, il sera temps d'envoyer la troupe. En Afrique noire, il n'a jamais régné de calme général, on s'y massacre par ethnies entières ; la Côte d'Ivoire qui semblait la plus belle vitrine africaine est retournée au chaos ; le Congo-Kinshasa n'en est jamais sorti.

En Algérie, l'armée fait régner la terreur depuis des années sans arriver à éradiquer l'adversaire. En Tunisie des combats ont eu lieu discrètement dans le sud entre les dissidents et la petite armée nationale.

La violence n'est pas seulement à usage interne, elle envahit les relations entre les jeunes nations elles-mêmes qui auraient pourtant besoin de toutes leurs énergies. Mais tout se passe comme si aucune autre solution n'avait été découverte. Soit l'irritant problème des frontières, tracées au cordeau par les colonisateurs, en particulier au fameux traité de Berlin, pour se partager le butin et qui demeure leur legs empoisonné ; pourquoi ne pas s'être attelé depuis si longtemps à rechercher, par la négociation, la transformation d'une configuration topographique absurde en effet, en un accord définitif ? Au lieu de quoi, le Maroc et l'Algérie se sont fait la guerre et entretiennent un conflit larvé, par le Front Polisario interposé ; la Libye a envahi le Tchad et en a été punie par une expédition égyptienne, sous le prétexte de mettre fin à une guerre fratricide ; la Syrie occupe militairement le Liban, qu'elle considère dorénavant comme sa province maritime ; la Corée du Nord et la Corée du Sud n'ont pas fini de s'épuiser dans une interminable confrontation et demeurent l'arme au pied ; la guerre est endémique en Afrique noire, tantôt ici, tantôt là, et ces conflits, internationaux ou interethniques, ont fait, là encore, plus de victimes que sous la colonisation. Il faut remonter aux pires périodes de l'esclavage pour comptabiliser des pertes aussi effroyables. Encore n'étaient-elles pas systématiquement organisées. On dit qu'un seul esclave sur quatre survivait au voyage dans les cales des rafiots qui les transportaient vers les plantations du nouveau monde, mais les négriers ne souhaitaient pas voir détruire leurs marchandises. Les guerres africaines actuelles entre Noirs, n'ayant pas ce souci de rentabilité, dépassent largement en horreurs les razzias menées de concert entre les notables noirs et les trafiquants arabes pour alimenter la traite européenne. Les colons, excepté lors des massacres épisodiques, où ils se croyaient menacés, n'avaient pas intérêt non plus à l'anéantissement de leur main-d'œuvre. Ce qui, mieux que la morale et la compassion, a fixé des limites à la colonisation.

Pourquoi une telle violence, non seulement continuée mais amplifiée, exaspérée ? Les chroniqueurs des ex-colonisés, embarrassés, n'ont pas manqué d'en rechercher quelque explication. Elle serait encore, plaident-ils, une mauvaise habitude héritée de la colonisation, une cicatrice de plus. D'ailleurs, il n'y avait pas tant d'émotion lorsque les colonisés la subissaient de la part des colonisateurs ! Soit ; on se déculpabilise comme on peut. Mais il s'agit maintenant d'une violence entre des ex-colonisés, et contre les siens. Et, là encore, le temps a passé, pourquoi ne pas s'en être défait depuis? Et surtout pourquoi une telle aggravation? On se souvient des paroxysmes durant les guerres d'indépendance; mais il s'agissait, disait-on, de terroriser l'adversaire; qui veut-on terroriser maintenant? Quiconque a visité l'Afrique du Sud a entendu parler de cet horrible usage de la mise à mort des adversaires politiques, ou simplement des rivaux économiques, grâce à un pneu enflammé placé autour du cou. La télévision nous a montré les supplications des victimes des massacres interethniques, implorant non d'avoir la vie sauve mais d'être tuées par un coup de feu, plus expéditif et moins effrayant que la machette. En Algérie, les enfants sont égorgés sous les yeux de leurs parents et l'inverse. Durant la décolonisation, on sectionnait le sexe des soldats français prisonniers afin de le placer dans leur bouche; la haine, disait-on, conduisait à ces perversités; doit-on continuer ces pratiques abominables? Est-il nécessaire de couper le nez des fumeurs du ramadan? Ou de bourrer les bombes de clous afin d'augmenter les souffrances des survivants? Faut-il même tolérer les enlèvements crapuleux, spécialité des Boliviens, ou les rapts d'enfants issus des mariages mixtes vers le Maghreb?

Toute société est violente, certes. Peut-être, plus fondamentalement, n'avons-nous pas su jusqu'ici maîtriser la violence qui est en nous; nous n'avons su que lui opposer une autre violence, au lieu de mettre toute violence hors la loi. Les chrétiens, malgré l'enseignement de leur fondateur, n'ont pas cessé de se battre, et même entre eux, sous la houlette quelquefois de leurs chefs spirituels ; ils n'ont pas si vite renoncé aux destructions des hérétiques, plus importantes encore que celles des infidèles ; les massacres, les bûchers, les tortures abondent dans leur histoire commune, mais ils ont tout de même fini par les abandonner. Peut-être que cette obstination dans la violence est la preuve de notre socialisation insuffisante, de notre foncière animalité. Mais tout progrès de l'humanité est aussi une tentative de ritualisation de la violence, afin d'en préserver chacun de ses membres contre la violence de tous. Jusqu'ici les sociétés ex-colonisées, quelle que soit la forme de leurs gouvernements, n'y ont guère réussi. Peut-être contenaient-elles une plus forte violence latente, qui devait se traduire en destructions et en autodestructions ? Pourquoi les pillards de Bagdad, après avoir vidé les demeures de leurs anciens notables, les détruisaient-ils, en y mettant le feu quelquefois ? Comme si le pillage, les incendies ne s'expliquent pas par la pauvreté mais par une violence en quelque sorte pure, presque désintéressée. Ainsi les insurgés français de 1789 mettaient le feu à ces merveilleux palais royaux et nobiliaires et aux bâtiments ecclésiastiques, au lieu de les conserver dans le patrimoine commun. La violence — et la guerre, qui en est l'expression généralisée — est le signe d'une éclipse de la loi naissante, c'est-à-dire d'une perpétuation de la jungle.

UNE NATION NÉE TROP TARD

Pour qu'une nation existe il lui faut un projet commun ; à l'intérieur d'elle-même pour se construire, à l'extérieur pour conquérir sa place entre les autres nations, et contre elles s'il le faut. Et l'on ne tire de plan que lorsqu'on le croit en quelque mesure réalisable. Or, à l'intérieur des jeunes nations, le tyran bloque tout, ramène tout à lui et aux siens. Les nations décolonisées sont comme les enfants de vieux, qui naissent malingres et souffreteux, des fruits desséchés avant d'avoir mûri. Le projet national du décolonisé semble épuisé avant d'avoir véritablement commencé. C'est que sa nation souffre d'un handicap historique ; elle est née trop tard. Les causes en sont multiples : l'endormissement provoqué par la colonisation, qui se prolonge comme après la prise d'un somnifère, la léthargie persistante du peuple, l'imprécision de la notion de territoire national, qui ne s'est fixée que récemment, l'aspiration toujours tentante à un même ensemble supranational. On oublie trop que la colonisation occidentale a pris le relais de l'ottomane, dont les Arabes furent les vassaux durant des siècles. Quoi qu'il en soit, cette malchance n'a pas été tout à fait surmontée et, peut-être, ne peut plus l'être.

Passé les premières exaltations identitaires, il arrive aux décolonisés, en plaisantant bien sûr — mais aucune plaisanterie n'est complètement innocente —, de regretter la période coloniale. On se battait dangereusement autrefois, mais la lutte était plus exaltante que l'actuelle atonie. On aspirait à la liberté, à tirer profit de la victoire ; à quoi bon maintenant ? Contre qui et contre quoi ? Dans quel but faut-il se battre aujourd'hui ? Une fatigue ancienne semble remonter à la surface.

Il existe un autre paradoxe dans l'aspiration nationale du décolonisé : sa nation s'est affirmée alors que l'idéal national d'origine occidentale, qui lui a servi de modèle, commence à s'estomper dans le reste du monde. Il n'est plus ce moteur flambant neuf qui a entraîné au XIXe siècle la plupart des peuples européens. Peut-être assistons-nous à la fin des États-nations ; l'Europe nouvelle, qui se constitue bon gré mal gré, se fait largement contre les nations traditionnelles qui, missions historiques accomplies, semblent vouloir quitter la scène de l'histoire. Bientôt elle ressemblera davantage à un empire, à l'instar des États-Unis d'Amérique, ou même de l'Inde et de la Chine qui, contrairement aux apparences, n'ont jamais été des nations au sens européen.

Le décolonisé est ainsi conduit à une marche en zigzag à la manière des crabes, entre un présent national de plus en plus effrangé et une vision utopique toujours dans les limbes. Il est presque rassasié des plaisirs de l'indépendance ; il est à peine ému encore des signes et des symboles de la souveraineté, drapeaux, corps diplomatiques d'autant plus pléthoriques que la nation est petite, manifestations culturelles d'autant plus affirmées que le contenu en est maigre, des réceptions aux buffets d'autant plus fournis que la nation est pauvre. D'ailleurs, tout le monde n'y a pas accès et l'on ne se nourrit pas de cocktails. En revanche, il a toujours besoin de visas pour voyager, qu'on lui marchande parce qu'il n'est pas le ressortissant d'une grande puissance, de dollars, qu'on lui délivre parcimonieusement, parce que sa monnaie est trop faible sur les marchés internationaux, et surtout non convertible, donc réduite à de la monnaie de singe. Il doit convenir que sa nation est trop fragile pour n'être pas d'une manière ou d'une autre satellitaire, que son indépendance, si difficilement obtenue, demeure menacée.

Faut-il alors revenir à la fameuse « nation arabe », mal nommée puisqu'il ne s'agit plus tout à fait d'une nation, à l'instar de l'Empire ottoman par exemple, alors que l'islam unifiait la moitié du monde connu, comme souhaitent y revenir quelques utopistes, qui continuent à rêver de ce passé grandiose ? Mais l'histoire a marché, le décolonisé le sait bien. Comment mettre sous le même chapeau les Maghrébins, les Iraniens et les Syriens ? Dans la seule Afrique du Nord, on n'a plus les mêmes conceptions des mœurs et des libertés. La Tunisie et la Libye ont tenté de fusionner, cela ne dura guère plus que le temps des changements d'humeur de leurs dirigeants respectifs ; idem pour l'Égypte et la Syrie. L'Europe, les USA, enviés, admirés malgré les ressentiments, disposent d'un espace territorial continu ; comment édifier à nouveau un empire arabo-musulman qui irait de l'Atlantique à l'Inde, dont les intérêts sont aujourd'hui si divers, sans que le serpent ne se fragmente inévitablement à cause de son étirement ? Aujourd'hui le Maroc, l'Algérie et la Tunisie ont davantage intérêt à s'allier avec les autres nations méditerranéennes, l'Italie ou la France, dont elles sont si proches, avec lesquelles elles partagent dorénavant une certaine communauté démographique, qu'avec le Pakistan ou l'Indonésie musulmans.

Il y a bien le ciment religieux, proposé, imposé par les intégristes, probablement autant par calcul que par conviction. Outre que l'on gonfle délibérément quelques mouvements sporadiques, on passe sous silence le réveil, au moins aussi important à travers le monde, des indifférents, des hésitants et des incrédules. On se focalise sur quelques jeunes illuminés qui abandonnent le jean pour la *djellaba*, on feint d'ignorer la majorité qui ne renoncera probablement plus au jean. Il n'y a pas, et nulle part, comme on fait mine de le croire, de véritable renouveau religieux; les religieux continuent à l'être et les incroyants le demeurent. Il y a en revanche des tentatives d'utiliser la religion à des fins politiques : un dessein de conquérir une plus grande place dans le concert des nations, grâce à la stratégie intégriste. Mais l'incrédule, ou disons l'agnostique discret, ne peut feindre d'avoir la foi alors qu'il ne pratique plus que par conformisme et solidarité. Que deviendrait-il si les intégristes triomphaient ? Devrait-il renoncer à tous les acquis, souvent empruntés à l'Occident il est vrai, mais qui lui sont dorénavant coutumiers et qui sont intégrés à sa personnalité ? D'une manière plus générale, il sait que les ressources de l'irrationnel et les émotions partagées ne suffisent plus pour répondre aux défis du monde moderne dans lequel il aspire à s'insérer. Il ne trouverait certes pas dans le Coran les secrets de l'industrialisation ou d'une refertilisation de la steppe africaine.

Le décolonisé vit ainsi un écartèlement immobile : de quelque côté que souffle le vent il est pernicieux. L'État-nation s'est ici épuisé avant de s'affirmer pleinement; parce qu'il n'a pas su mettre au point la société nouvelle que réclament les jeunes générations, avides de vivre et regardant, grâce à la télévision, hors des frontières. Il n'a obtenu qu'une médiocre gestion du quotidien, ponctuée de corruptions et de répressions.

Même les plus audacieux des gouvernants, après quelques timides réformes, se figent dans l'ankylose générale. D'autant que toute innovation fait peur à ses pareils, qui pèsent de tout leur poids pour la contrarier, au besoin en fomentant des troubles. Lorsque le Tunisien Ben Ali, succédant à Bourguiba, a voulu conserver les acquis de son prédécesseur, l'Arabie saoudite est intervenue pour qu'il reprenne ce qui avait été accordé aux femmes et pour intensifier l'islamisation du pays.

Le décolonisé rêve-t-il alors, et il s'en vante quelquefois, des deux périodes heureuses de l'unification de l'histoire arabe, celle de l'Afrique du Nord et celle du califat de Bagdad, qui d'ailleurs relèvent davantage des *Mille et Une Nuits* que de la réalité historique, où les Arabes étaient opulents, généreux et ouverts à la fécondité des sciences, des arts et de la philosophie ? Il sait bien qu'il s'agit largement d'un mythe, aujourd'hui périmé. Que valent encore les sciences de l'époque, par exemple, la médecine du Moyen Âge, dont il se targue ? Elle n'est plus qu'une curiosité de l'histoire, qui n'a plus de place qu'au musée des progrès. En Afrique noire, une supernation n'ayant jamais vu le jour, il faudrait tout inventer ; il existe quelques efforts dans ce sens. Il n'est d'ailleurs pas sûr que ce mythe ne soit pas nocif, au début tout au moins, puisque, pour le réaliser, il faudrait bouleverser l'ordre actuel. Le retour à l'intégrisme serait en tout cas la négation des nations arabo-musulmanes, dont les gouvernements savent qu'ils en sortiraient détruits. Les intégristes le savent aussi : ils leur procureraient, avec la fin de l'idéal national, la suppression des quelques libertés qu'il a véhiculées malgré tout : l'assouplissement de l'emprise religieuse, l'allégement de l'esclavage féminin, de l'emprise sur la vie privée, l'abolition des lois communes aux nations contemporaines.

LE PAYS DU NON-DROIT

Pire qu'une loi injuste est l'absence de loi : une loi injuste est un désordre réparable ; l'absence de loi est le règne de l'arbitraire, où n'importe quoi peut arriver à n'importe qui. On s'indigne, à l'étranger surtout, qu'il n'y ait guère de dénonciations de la corruption permanente, de la mainmise des proches du potentat sur nombre de secteurs économiques, de l'enrichissement douteux de certains. On se scandalise qu'il y ait si peu d'enquêtes sur les exactions du pouvoir, par exemple l'enlèvement d'un adversaire politique, d'un journaliste, d'un mal pensant, dont la famille ignorera s'il est encore en vie ; c'est beaucoup de naïveté. Par nature, la tyrannie est opaque. Elle ne pourrait pas fonctionner en pleine lumière ; il lui faudrait justifier ses décisions, fournir des preuves, ce qui est la définition de la démocratie ; or la démocratie demeure encore étrangère à la pratique politique du tiers-monde, arabo-musulman en particulier.

Même durant la colonisation, où le droit était surtout au service du colonisateur, il y avait des limites à l'illégalité. Le colonisateur devait, de mauvaise grâce, tenir compte de ses concitoyens métropolitains, lesquels, n'ayant pas un souci excessif de ses intérêts, étaient assez démocrates pour imposer, plus ou moins, les lois communes jusqu'aux confins de l'empire. Voici que le droit colonial ayant été aboli, il n'a pas été vraiment remplacé. Le potentat n'a de comptes à rendre à personne. Il ne permet pas le développement de pouvoirs intermédiaires suffisamment auto-nomes, la justice par exemple, pour s'interposer entre lui et le décolonisé, qui, en cas de litige, devra en référer directement à lui, seul véritable juge. La conséquence de ce pouvoir illimité est la possibilité d'une iniquité sans limites ; à cet égard il n'y a pas de différence entre les États du Magh-reb et les pires tyrannies d'Afrique noire ou d'Amérique latine. Sous des aspects plus policés, le précédent sultan du Maroc disposait de bagnes plus épouvantables que ceux du colonisateur, et a, durant des décennies, poursuivi de sa vindicte les femmes et les enfants des condamnés.

Cette carence du droit vient de loin, il est vrai. Tous les citoyens étaient depuis toujours livrés à la volonté du pouvoir, lequel relevait souvent d'un autre pouvoir plus puissant, lequel se recommandait de Dieu. Le bey de Tunis ou le dey d'Alger avaient le droit de vie ou de mort sur leurs sujets, mais ils devaient en référer eux-mêmes à la cour ottomane, dont ils n'étaient théoriquement que les mandants. Aucune tête n'était sûre de demeurer sur les épaules de quiconque. Le régime des wahabites saoudiens, si représentatif du monde musulman orthodoxe, ne fait que perpétuer une vieille tradition. Simplement on espérait que la révolte contre le colonisateur entraînerait un bouleversement de ces mœurs féodales. La révolution n'a pas eu lieu. Après une période de grâce, à la fin de sa vie, Bourguiba, leader socialisant et démocrate, père de l'indépendance de son peuple, s'est transformé en autocrate, pire que le vieux souverain qu'il avait inutilement maltraité et destitué. Les présidents des nouvelles Républiques miment en général le pouvoir colonial dans ce qu'il a de plus arbitraire.

wCette excessive commodité pour le potentat, que rien ne freine, multiplie les tentations de passe-droits, de sanctions désordonnées, sans proportionnalité au délit, comme dans toute juridiction raisonnable. Un propos de café peut conduire en prison, un soupçon peut briser une carrière. La France, forte de plus de soixante millions d'habitants, compte cinquante mille emprisonnés; la petite île de Cuba cent cinquante mille, en majorité pour des délits d'opinion, la plupart sans jugement ou par des tribunaux expéditifs et timorés. D'où la puissance ténébreuse et illimitée de la police, parce qu'elle a la confiance du potentat. Une boutade cubaine affirme que La Havane compte un million de policiers pour deux millions de citoyens. Et l'immobilité du régime ne laisse espérer aucun changement prévisible ; il y faudrait son effondrement. Chaque soubresaut provoque au contraire un durcissement. En 1981, l'état d'urgence fut décrété en Égypte, il n'a jamais été aboli. On ne permettra que les manifestations qui fournissent une diversion, en faveur de l'Afghanistan, même si l'on craint les talibans, de la Palestine, comme d'habitude, de l'Irak, même si l'on hésite sur ses excès ; ce sont des soupapes, des décompressions autoritaires, qui laissent croire à la foule qu'elle dispose d'un semblant de liberté. Le pays du décolonisé est une contrée de non-droit, où règne la violence institutionnelle, avec comme seule issue une violence plus violente encore. Les intégristes le savent et attendent leur heure. La « loi de Dieu » qu'ils veulent instaurer, et qui est la loi des prêtres, supprimera même les quelques bribes de libertés concédées par le potentat. Elle fera le vide juridique au profit des dogmes religieux.

Il faut considérer ici ce que l'on a appelé le terrorisme islamique. Le monde s'est donc trouvé confronté à cet événement qui l'a laissé pantois et sans explication décisive ; il ne serait pas seulement moralement scandaleux, mais inouï, irrationnel. Mais l'irrationnel a sa logique et l'immoralité son plaidoyer : le terrorisme islamique est une variété extrême de la violence permanente qui agite le monde arabe. Il n'est même pas un phénomène inédit, et les «fous de Dieu» musulmans ne sont pas plus fous que les autres. Au Vietnam, les éventaires pouvaient contenir des bombes qui tuaient indistinctement les passants, américains, français ou vietnamiens ; les nationalistes algériens y ont trouvé un modèle. Le suicide ostentatoire n'est pas non plus une nouveauté ; des bonzes coréens se sont immolés par le feu pour impressionner les Européens ; on se souvient de Palach, cet étudiant tchèque qui s'est infligé le même supplice sur une place publique pour infléchir la politique de son pays. Il s'agit toujours d'un acte sacrificiel, dont la plupart des civilisations ne sont pas avares. Encore le kamikaze musulman croit-il en une autre vie, meilleure que celle-ci, dans un au-delà paradisiaque, récompense de son dévouement. Ce trait n'est pas original non plus : n'est-ce pas ce qu'espèrent confusément tous les croyants, religieux ou laïques, qui recherchent quelque consécration de l'histoire ? On dénonce justement l'immoralité de ces actions aveugles qui frappent n'importe qui, mais les aviateurs qui bombardent une ville se soucient-ils de savoir quelles vont être les victimes ? Est-ce la première fois que les considérations politiques ou patriotiques l'emportent sur les principes moraux ? Que valent pour les partisans extrêmes les dommages causés à des tiers, comparés à ce qu'ils estiment l'importance de leur cause ? Pour les chefs des terroristes, le meurtre politique n'est pas un assassinat mais un épisode de la guerre qu'ils mènent. Pour comprendre le terrorisme, même suicidaire, il ne suffit pas de le considérer avec les yeux de ses victimes, forcément et légitimement emportées par leurs souffrances, mais dans la perspective de ses commanditaires et de ses exécutants. On découvre alors qu'il n'a pas le même sens et ne suscite pas la même indignation : « C'est notre manière de combattre, expliquait un chef palestinien, parce que nous n'avons ni avions ni tanks. »

Décidément, ce n'est pas tant sa nouveauté qui fait l'originalité de l'attentat-suicide que sa radicalité et sa généralité, qui en font une arme inédite. Les bonzes n'entraînaient personne avec eux dans la mort ; sauf exception, l'aviateur, qui lâche ses bombes au-dessus d'une cible, espère qu'elles ne tueront pas des innocents ; le kamikaze musulman veut tuer, en même temps que lui-même, le maximum de gens, coupables ou innocents, impliqués ou non dans son combat. Ces deux morts sont liées : puisqu'il ne ménage pas sa propre vie, il n'a pas à ménager celle des autres. «Un vrai musulman pourrait sacrifier ses parents et ses enfants», a déclaré Mulana Sayed Abdullah Bukhari, imam de la plus importante mosquée de New Delhi. Les Iraniens n'hésitaient pas à envoyer les enfants au-devant des gaz irakiens, avec une clef du paradis suspendue à leur cou, il est vrai. N'hésitant pas à sacrifier leurs propres enfants, pourquoi ménageraient-ils les enfants des autres ? L'action du kamikaze comprend un non-retour ; il le sait, il accepte de ne pas y survivre. Toute société produit des héros, qui offrent leur vie pour la survie du groupe, mais le héros ne renonce pas à la vie, il la risque, d'où son mérite, même s'il espère y gagner la gloire. Le médecin, le missionnaire qui rejoignent un pays en proie à une épidémie savent qu'ils pourraient être atteints par la maladie, peut-être en mourir, mais ils ne recherchent pas la mort. On sait aujourd'hui que, contrairement à ce que disait la propagande japonaise, les kamikazes japonais n'allaient pas allègrement à la mort. Le kamikaze arabe n'attend rien d'autre que la mort, et il l'attend volontiers. C'est dans cette limite que se trouve sa spécificité. Ici, précisément, la mort certaine abolit tout, rend tout négligeable, insignifiant, y compris toute juridiction. L'attentat-suicide abolit les règles, péniblement acquises par la société des hommes, l'esquisse d'une moralisation de la guerre. C'est une régression de l'humanisation progressive des sociétés humaines. On égorge des journalistes, qui ne font que leur métier, on enlève ou l'on mitraille des touristes, venus du bout du monde et qui n'avaient d'autre tort que de vouloir se divertir. Un tract distribué à Casablanca, avant un terrible attentat, distribué jusque dans les mosquées, exhortait à ne pas faire d'exception, ni femmes ni enfants ; ils sont tous coupables, et méritent tous la mort. La même justification est avancée par les chefs palestiniens : tous les Israéliens sans exception doivent être frappés. Le terrorisme islamique semble avoir déclaré la guerre au monde entier, y compris aux pays arabes qui ne s'alignent pas sur ses objectifs ; la Tunisie, le Maroc, même l'Arabie saoudite, premier sanctuaire du monde arabo-musulman, en furent frappés. Jusqu'à une période récente, le kamikaze palestinien s'en tenait à des cibles israéliennes ou juives, dorénavant le combat s'étend à tout l'univers.

Or cette aberration est loin d'être unanimement dénoncée dans le monde arabe. Tous les Arabes ne sont pas devenus des « fous de Dieu », mais on rencontre plus souvent une indulgence embarrassée ou inquiète : « ça va nous causer des ennuis… », qu'une ferme condamnation ;

et, quelquefois, une admiration reconnaissante, à peine discrète. « Nous sommes tous des Ben Laden ! » était le cri fréquemment entendu dans les banlieues de Paris, dans les rues du Caire comme de Ramallah. Il y entrait de la fierté et le sentiment d'une vengeance enfin accomplie ; comme si ces jeunes désœuvrés avaient contribué à la destruction des gratte-ciel new-yorkais. Ben Laden est considéré comme le bras collectif de toute la communauté arabo-musulmane. Les pirates de l'air, variété technologique avancée des poseurs de bombes artisanales, s'étaient sacrifiés pour tout l'islam. « Ce sont des martyrs ! » Le kamikaze n'est pas un isolé, un « illuminé » qui agit sous le coup d'une impulsion incontrôlée ; il est recruté par des rabatteurs, formé dans des camps, soutenu par des équipes techniques, il bénéficie d'un passeport saoudien ou pakistanais, depuis peu anglais ou français, le tout financé par des gouvernements arabes. Cette diversité, qui enjambe la géographie, alimente une solidarité confuse mais rassurante, le sentiment exaltant d'une puissance commune retrouvée. Au cri douloureux d'impuissance « On tue des musulmans ! » répond dorénavant la riposte des kamikazes au nom de tous les musulmans.

Mais, simultanément, cette rhétorique, même traduite en actes sanglants, est un aveu de faiblesse. « Nous n'avons pas d'avions, et les gouvernements arabes qui en ont n'osent pas s'en servir, ce sont des traîtres » signifie aussi : « Nous n'avons pas le choix, nous devons nous résigner à ces actions ponctuelles. Nous sommes emportés par une histoire qui nous échappe. »

Si l'on pouvait employer ici le langage de la médecine, on dirait que la société arabo-musulmane souffre d'un grave syndrome dépressif qui l'empêche d'apercevoir une issue à son état actuel. Le monde arabe n'a toujours pas découvert, ou pas voulu considérer, les transformations qui l'adapteraient enfin au monde moderne, qui l'investit de toutes parts. Au lieu de s'examiner, et en fonction de ce diagnostic, de prendre les remèdes qui s'imposent, il recherchera chez les autres les causes de son dysfonctionnement. C'est la faute des Américains, des juifs, des mécréants, des infidèles, des multinationales. Sans mésestimer ses relations avec ses partenaires mondiaux, ni la montée en puissance de l'empire américain, relayant celle des colonisateurs, il serait plus fructueux de se demander quelles sont les causes internes de cette stagnation. Par un phénomène classique de projection, le monde arabe chargera également les autres de tous les péchés, dépravations, perte des valeurs, matérialisme, athéisme, etc. Le kamikaze, qui se fait sauter, doit faire sauter en même temps ce monde abject, devenu invivable pour lui et pour les siens. Ses moniteurs se sont chargés de l'en persuader. Ce n'est pas seulement une affaire de pauvreté, comme veulent le croire certains, mais une confrontation de société à société, l'une ouverte, aventureuse, dynamique, donc pleine de périls, inique et dépravée, l'autre, figée, fermée sur elle-même, impuissante à affronter ce défi, mais vertueuse et légitimée par sa soumission à Dieu. Incapable d'agir, la société arabe ne trouve quelque soulagement que dans des crises, des transes meurtrières contre les prétendus coupables. Le terrorisme islamique n'est que l'un des symptômes les plus alarmants de cette impuissance. Les autres, moins menaçants, n'en sont pas moins significatifs : l'absence de démocratie, la corruption, la fragilité et l'iniquité de la justice, la condition faite aux femmes, de l'enfermement à la violence de l'excision, en passant par leur minorisation juridique, avec le retentissement sur l'éducation des enfants, qui leur est confiée et qui perpétue ainsi l'obscurantisme, les brimades de la sexualité, la circoncision tardive qui risque de causer des traumatismes tenaces, la frustration due à la séparation des sexes, l'emprise de la religion qui empêche le bon fonctionnement d'une libre rationalité, la persécution des intellectuels, l'étouffement de l'esprit critique forment un ensemble négatif cohérent.

Encore si les convulsions terrorisantes du monde arabe avaient quelque efficacité ! Mais portant ses coups partout dans le monde, y compris dans les pays arabes réfractaires ou inquiets, le terrorisme a déclenché une guerre totale sans avoir les moyens de la gagner. Il risque seulement de provoquer une riposte globale. Si l'Europe hésite, les USA l'ont ainsi compris et s'y préparaient même avant le 11 septembre 2001. Bafouant les lois communes, le terrorisme islamique s'est mis hors la loi et entraîne à sa suite une représentation désastreuse du monde arabo-musulman. De sorte qu'au lieu de soulager son angoisse, il l'entretient en un cycle infernal : la violence hors norme suscitant une hostilité inédite du monde, et cette hostilité attisant cette angoisse.

LE CANDIDAT AU DÉPART

Dans cette atonie, coupée de cauchemars, de temps en temps, survient comme une prise de conscience, un remords : les potentats de divers États décolonisés se réunissent en grande pompe dans l'une de leurs capitales, en costumes nationaux quelquefois pour donner plus de relief à leur rencontre. On s'embrasse, on se fait des compliments et des promesses, on échange parfois des mises en garde, des invectives, on rédige des déclarations solennelles où l'on stigmatise les traîtres et l'on accuse le monde entier. Puis chacun, flanqué de ses gardes du corps, s'engouffre dans sa Mercedes et retourne chez lui retrouver le train des jours, comme si rien ne s'était passé.

Quelques journalistes un peu plus audacieux, quelques intellectuels plus grognons, vivant surtout à l'étranger, se demandent une fois de plus, avec colère ou mélancolie, pourquoi aucun projet sérieux n'est sorti de ces prestigieux rassemblements. Ils oublient ou feignent d'oublier que les potentats sont immobiles par nature et par volonté. Ils n'ont pas de projet sincère parce qu'ils ne peuvent ni ne veulent en avoir.

Une fois de plus le décolonisé s'est trouvé devant une absence de perspectives ; il doit refaire le douloureux bilan : si la décolonisation est une triple attente, économique, politique et culturelle, il doit se résigner à convenir que son pays n'a réussi pleinement dans aucune d'entre elles ; il ne jouit ni d'une prospérité étendue à la majorité de la population, comparable à celle des nations occidentales, ni de la démocratie, qui est le visage et la garantie de la liberté, ni de l'épanouissement des arts, des lettres et des savoirs, fruits de l'esprit critique. Et, surtout, sans espoir prévisible de changement. Sa déception est à la mesure de ses illusions perdues : « Peut-être ne sommes-nous pas mûrs pour la démocratie ! » m'a confié en soupirant un confrère. Comme je tentais de le rassurer en lui objectant qu'il y avait des tentatives intéressantes, en Afrique noire par exemple, il me répondit malicieusement : « Oui, mais voyez où ça les a menés, au chaos ! Nous sommes en catalepsie, soit, mais eux, ils sont dans un bordel ! »

N'y a-t-il donc le choix qu'entre la tyrannie et le désordre permanent ? Que faire devant une maladie apparemment incurable, sinon se résigner ou fuir ? Devant cet avenir bouché, le décolonisé rêve d'évasion : il est en somme un candidat à l'émigration, un immigré virtuel à l'intérieur de son propre pays, qui lui paraît de plus en plus restreint et étouffant.

S'il se décidait à partir, pourquoi ne pas songer alors à l'ex-métropole ? Il mettra entre parenthèses ses anciens griefs, déjà émoussés par le temps ; il ne voudra se souvenir que des meilleurs moments de la colonisation, les plages et les soirs d'été, de quelques amitiés. Il se projettera déjà ailleurs, comme si le rêve pouvait un jour devenir réalité. Il fera des voyages, d'abord touristiques ou pour sa santé, rendra visite à des proches. S'il dispose de quelques ressources supplémentaires, il les placera là-bas, à tout hasard, et laissera sur place les bénéfices. S'il conserve quelque doute, il se dira qu'il ne va pas rejoindre précisément l'ex-colonisateur, mais le métropolitain, « le Français de France », ce qui, dans le passé, était un label de qualité ; de liberté, de respect de la justice, peut-être d'égalité ; n'est-ce pas la devise de la République française, liberté, égalité, fraternité ? N'a-t-il pas, malgré tout, tant de liens avec l'ex-métropole ? N'est-il pas familier de sa culture ? Ne parle-t-il pas sa langue, ce qui facilite considérablement la vie quand on est un immigré ? N'achète-t-il pas volontiers ses produits ? Lorsqu'il rend visite à ses relations, à ses amis, qui, eux, ont franchi le pas et se sont installés à Paris, à Lyon ou à Marseille, il a l'impression de regagner quelque province familière. Du reste, ils lui décriront un pays de cocagne ; l'encourageant à les rejoindre, pour ne pas être seuls, pour grossir la communauté, comme ces touristes qui, pour se convaincre eux-mêmes d'avoir fait le bon choix, racontent monts et merveilles de leurs vacances, quelle qu'en fût la réalité. N'a-t-il pas assisté à quelques retours provisoires de voisins, avec des voitures neuves, pleines de gadgets, machines à laver, radios, télévisions, qui seront revendus sur place, voiture comprise. D'ailleurs, des familles entières ne subsistent que grâce à des envois d'argent d'un mari, d'un fils ou d'un frère.

À tout hasard, il commencera à se renseigner, concrètement cette fois, sur le marché du travail. S'il possède quelque technicité, il espère qu'il lui sera plus facile de trouver un emploi ; s'il n'a que ses mains, il lui sera encore plus aisé de grossir le troupeau des manœuvres, des balayeurs ou des égoutiers, l'un de ces métiers dont, paraît-il, la jeunesse gâtée des pays riches ne veut plus. S'il a encore quelque embarras, même en pensée, s'il se sent un peu coupable de quitter son pays, il se persuadera de plus en plus qu'il n'a guère le choix. Les intellectuels doivent balancer entre l'exil et le silence, c'est-à-dire la mort spirituelle, le masque ou la fuite. En définitive, il y aura plus d'intellectuels et d'écrivains à l'étranger, de préférence dans les ex-métropoles que dans les pays d'origine. Et, paradoxe, ils vont s'y exprimer plus librement; car dans ces pays d'accueil qu'ils continuent à dénoncer par habitude et par solidarité avec leurs peuples, il est permis, sans risque, de revendiquer. Paradoxe également au profit des intégristes, qui peuvent y proclamer avec véhémence leur foi et leurs revendications, parce qu'ils jouissent d'une liberté d'expression qu'ils ne toléreraient pas chez eux s'ils prenaient le pouvoir. Les imams prêcheurs de Londres sont plus ouvertement véhéments que ceux de l'Arabie saoudite. Un Français musulman, impliqué dans les attentats, a tranquillement déclaré : « La France deviendra un État islamique, c'est sûr ! » Curieusement, le danger continuera à venir de leur pays d'origine, qui ne leur pardonnera pas leur départ et leurs timides remarques : comment s'avisent-ils, et de l'extérieur, de critiquer les leurs ! Ce sera l'ère des Salman Rushdie et des Taslima Nasreen. On les maudira, on les menacera physiquement, alors qu'en s'exilant ils serviront mieux la vérité et les leurs que s'ils étaient restés chez eux.

Bien entendu, tous ces rêveurs candidats au départ ne partiront pas. Ils n'ont plus l'âge des aventures, ils ne pourraient pas affronter une nouvelle vie, ils sont liés par leurs appartenances et leurs attachements, par leurs biens. Mais les plus jeunes, les plus vigoureux, ceux qui n'ont rien à perdre, tenteront un jour de réaliser ce rêve. De quoi parlent les « hittites » sinon de ces pays d'où proviennent les lettres de ceux qui sont déjà partis, où le travail n'est pas une denrée rare, où les femmes, dit-on, offertes dans la rue, sont libres d'accepter qui leur plaît; où l'on peut s'exprimer à haute voix, même dans les lieux publics, même contre les chefs, sans être aussitôt arrêté et jeté en prison ; où l'on est protégé par les lois, par des tribunaux, où l'on jouit d'avantages économiques ; où l'on reçoit de l'aide, même si l'on est un étranger, où l'on est soigné gratuitement, où tout est possible enfin, alors que dans le pays natal presque rien ne l'est ? Lors de la première visite, depuis la décolonisation, du président de la République française, les jeunes Algériens criaient-ils comme tous les jeunes du monde : « À bas ceci ! Vive un tel ! » en luttant contre la police qui devait protéger l'illustre visiteur ? Non, ils réclamaient, à la honte des officiels de leur pays · « Des visas ! Des visas ! » Ils annonçaient ainsi qu'ils avaient la ferme intention de quitter leur pays, de préférence avec des papiers en règle. Mais on saura bientôt qu'ils tenteront de partir même sans papiers, à n'importe quel prix, au péril de leur vie s'il le faut, en traversant la mer, en franchissant des frontières. Le paradis ne mérite-t-il pas tous les risques ? De quoi peut-on rêver au purgatoire sinon au paradis en effet ? En tout cas, voilà comment se fabrique un immigré.

L'IMMIGRÉ

Ce portrait du décolonisé, auquel je pense depuis longtemps, heureusement que je ne l'ai pas entrepris plus tôt. Il y aurait manqué deux traits marquants : l'importance accrue de l'émigration et l'augmentation considérable de la violence. Ce ne sont pas des phénomènes anodins : ils sont significatifs à la fois de l'état véritable des nations ex-colonisées et de leurs relations actuelles avec le reste du monde.

L'émigration n'est pas spécifique de la décolonisation ; elle existe, elle a existé dans la plupart des pays économiquement ou politiquement carencés. Elle est le produit de la misère ou de la peur, de la faim ou des frustrations, d'un avenir apparemment bouché, qui conduisent des individus, plus ou moins nombreux, à quitter leur pays natal. L'histoire est aussi l'histoire des migrations et donc des métissages ; la Grèce antique, toute la

Méditerranée furent le théâtre de mouvements incessants de populations. L'Italie et l'Irlande surtout, le Portugal et l'Espagne, entre autres, ont connu de ces départs massifs. Et, peut-être, sommes-nous entrés dans une ère de tumulte mondial, où les mouvements de populations vont s'accélérer. Ils ont pris toutefois une physionomie particulière dans les nations ex-colonisées : ils résultent d'un accord, plus ou moins manifeste, entre le désir des individus, la complaisance de leurs propres gouvernants et les hésitations des pays d'accueil.

Sous l'influence des religions, favorables à une procréation sans entraves, d'une politique irresponsable, souvent délibérément nataliste, la démographie débridée qui en résulte a généré une jeunesse trop nombreuse, turbulente et quelquefois délinquante, surtout à cause du sous-emploi, et qui ne voit d'autre issue que l'émigration. D'autre part, les ressources, pourtant en progression, suffisant de moins en moins à rattraper la demande accrue, même pour un minimum vital, il était tentant pour les gouvernants, impuissants, d'encourager ce dégraissage de leurs populations. Sans le provoquer ouvertement, ils ne font rien pour le contrarier ; quelquefois ils y prêtent même discrètement la main ; le Maroc dissuade ses immigrants de revenir au pays ; on assure que le Zaïre contraint fermement ses ressortissants à demeurer définitivement en Europe. Contrairement à leurs déclarations à usage diplomatique, loin de considérer les « passeurs » comme des criminels, des trafiquants de chair humaine qui, selon les Européens, abusent de leurs malheureuses victimes, ils leur ménagent des facilités administratives, des lieux de rassemblement protégés, organisés pour l'attente de l'embarquement, souhaité par tous, gouvernés et gouvernants, vers les côtes françaises ou italiennes, étapes quelquefois avant l'installation définitive ailleurs, en Allemagne ou surtout en Grande-Bretagne. On dit que la présence de femmes et d'enfants, à qui l'on consentira un demi-prix, y est particulièrement appréciée, parce que leur vue amollira le zèle des douaniers.

Il y a plus : outre le soulagement obtenu par ces saignées démographiques, les gouvernants des pays du tiers-monde ont découvert un autre profit, indirect, dans cette pression grandissante sur les nations européennes. Ils peuvent négocier un ralentissement de ces irrésistibles vagues humaines contre quelques avantages : accès à des zones de pêche par exemple, prêts ou échanges plus fructueux, diminution des droits de douane, etc. Un leader d'un pays noir l'a reconnu presque ouvertement : « Personne en Europe ne pourrait stopper l'immigration ! », ce qui est probablement exact ; on ne peut pas grand-chose contre les pulsions de survie. Il a eu le tort d'ajouter cyniquement : « S'il le faut, nous construirons des ponts entre l'Afrique et l'Europe ! » ; un autre au parler plus cru a averti :

« L'Afrique, dorénavant, vous colle aux fesses ! » ;
ce sont autant d'aveux d'une volonté politique
favorable à l'émigration. Le fantasque et impru-
dent colonel libyen, Kadhafi, qui a longtemps
financé les mouvements terroristes à travers le
monde, et qui a dû renoncer à la violence
ouverte à la suite d'un raid punitif américain,
s'est même rabattu sur l'émigration comme une
arme inédite et moins compromettante pour
poursuivre sa guerre contre l'Occident. C'est en
Libye de préférence que se retrouvent les Turcs,
les Nigériens, les Somaliens, les Marocains, avant
d'être entassés dans des embarcations légères, où
les malheureux doivent, par manque de place,
demeurer quelquefois debout durant toute la traversée. Même les prudents Tunisiens ne sont pas
étrangers à ces trafics et prêtent volontiers leurs
ports, bien connus de la population locale. Ce
qui n'empêche pas hélas les catastrophes, à
cause de l'avidité des passeurs, des bateaux sur-
chargés, des conditions sanitaires déplorables,
des ruses imposées par la clandestinité. Mais
l'ardeur des immigrants n'en est pas freinée
pour autant. Espérons au moins que le sommeil
des gouvernants n'en est pas troublé.

Tout se passe enfin comme si l'émigration,
loin d'être estimée nocive ou scandaleuse, était
devenue, pour beaucoup de pays du tiers-monde,
une nécessité et une monnaie d'échange. Chez
certains, peut-être, comme un élément dans la
compétition qui règne inévitablement entre les

nations ; particulièrement entre des nations puissantes et prospères et d'autres fragiles et démunies. Plus généralement, dans la perspective de la géopolitique mondiale, l'immigration serait même l'outil d'une expansion pacifique. On a ainsi parlé d'islamisation migratoire.

Naturellement, l'immigrant est, individuellement, étranger à ces considérations. S'il a résolu l'insoluble problème du visa, s'il survit à ce voyage périlleux, incroyablement précaire dans une époque où il suffit d'acheter un billet d'avion pour parcourir la moitié du globe, s'il ne s'est pas noyé, s'il n'est pas mort étouffé, gelé dans un camion, s'il a réussi, sous la conduite de guides ignobles mais efficaces, à tromper la vigilance des douaniers de plusieurs frontières, s'il n'a pas été démasqué à la dernière minute et refoulé, ayant enfin surmonté tous les obstacles de ce jeu de l'oie avec des hommes comme jetons, il aura l'impression de s'être enfin échappé du purgatoire ; pour un peu, il se jetterait face contre terre pour baiser le sol de ce qu'il croit être un nouvel Eldorado.

... ET LE DOUBLE ÉCHEC

L'immigrant maghrébin est à cet égard un privilégié ; outre la bienveillance de son propre gouvernement, il a bénéficié d'une tolérance relative du consulat du pays d'accueil, dont il a obtenu un visa de touriste, qu'il compte bien prolonger, avec ou sans l'accord des autorités, au risque de se transformer en clandestin ; on verra plus tard. Le voici donc atterrissant à l'aéroport d'Orly, s'il en a les moyens, ou débarquant à Marseille, après une traversée sans incidents, avant de rejoindre, via la gare Saint-Charles, la gare de Lyon à Paris. Ce sont souvent des retrouvailles, il a déjà passé des vacances en France. Cette fois c'est plus sérieux, il s'agit d'une installation mais il n'est pas trop inquiet ; n'est-il pas familiarisé avec la culture, et même les mœurs, croit-il, de l'ex-métropole ? Le tout presque sans les hypothèques et les arrière-pensées de la sujétion coloniale.

Où va-t-il aller ? Des taxis, spécialisés dans cette arnaque, l'attendent qui, contrairement à la loi, lui feront payer un prix excessif, arbitrairement fixé pour tous les immigrés, quelles que soient leur origine et leur destination. Il n'ira pas à Neuilly ou à Passy, bien sûr, ni rue du Bac ou dans le quartier de Saint-Sulpice. Dans ce cas, il aurait déjà fait louer, par une agence ou par des relations, un bel appartement ou même une villa avec jardin au Champ-de-Mars ou dans l'une des banlieues riches de la capitale. D'ailleurs, il ne serait pas alors un immigré, mais un « ami de la France », qui vient dépenser généreusement son argent chez les commerçants empressés des quartiers fortunés. Le véritable immigré se fera conduire chez un frère, un cousin, un ami, l'ami d'un ami, dans l'une de ces « cités », qui ont remplacé les « bidonvilles » d'antan, situées à la périphérie de Paris ou de Lyon, parce que tout y coûte heureusement moins cher et que l'on trouve aisément des lieux de culte, et les mets familiers, graines, épices et viandes rituelles.

Or c'est là qu'il va apprendre que l'Eldorado, décrit par ses correspondants, la Terre promise si ardemment convoitée, n'est plus ce qu'il était. L'embauche y est moins assurée, les contrôles policiers sont plus serrés ; il va devoir affronter un étonnant cercle vicieux : pour obtenir du travail il faut posséder la carte de séjour, pour obtenir la carte de séjour il faut posséder un emploi. Dans la rue, dans le métro, il lui semble — peut-être est-ce un effet de son imagination — que les regards que l'on porte sur lui ne sont pas identiques à ceux que se portent les natifs ; au mieux on lui parle avec une politesse soupçonneuse ou une amabilité forcée ; bref tout ne se passe pas aussi naturellement qu'il l'espérait ; il sent qu'il n'est guère le bienvenu. Comme la plupart des exilés, il avait pour le pays d'accueil une reconnaissance inquiète, qui ne demandait pas mieux qu'à manifester sa fidélité nouvelle. Il croit constater avec dépit que cet amour, prêt à se donner, ne rencontre pas celui de ses concitoyens d'élection. Il découvre que l'immigration, loin d'être la solution à ses maux, est aussi un double échec, celui de son pays natal et celui de ses hôtes.

Pour son pays natal, il le savait déjà; c'est pourquoi il l'a quitté. L'émigration de leurs ressortissants est l'un des signes supplémentaires de l'impuissance des jeunes nations à résoudre leurs problèmes intérieurs; à nourrir tous leurs enfants, à leur assurer ce minimum de confort, de libertés sans lequel on ne respire plus suffisamment, et sans lequel on est tenté par la révolte. Mais si en acceptant l'émigration, en l'encourageant, on gagne quelque quiétude, on la paye d'une perte de substance, d'une quantité d'hommes jeunes et bien portants, souvent les plus entreprenants et les plus doués, des manuels mais aussi des techniciens, des cadres et des intellectuels, simplement séduits par l'espoir d'une vie plus lucrative et plus agréable. Ainsi un nombre important d'étudiants en médecine, formés dans les universités européennes, ne rentrent pas chez eux une fois leurs études terminées, alors que leur pays natal a cruellement besoin de praticiens. On dit aux Caraïbes que la fin de l'esclavage a surtout apporté la liberté de s'expatrier.

Pour l'ex-métropolitain, sauf chez quelques esprits d'avant-garde, il est le rappel vivant de la défunte entreprise coloniale; de l'époque où le drapeau français flottait sur des terres immenses, où la France régnait sur des peuples nombreux et divers. Même s'il n'a pas été un enthousiaste de ces aventures, la présence de l'immigré est le résidu d'un deuil collectif, d'une séparation faite dans la violence, où les siens ont perdu la partie. Maintenant que le divorce est prononcé, que lui veut donc son ancien partenaire? Il a obtenu ce qu'il réclamait, un État, un gouvernement, une armée, dit-on. Pourquoi cherche-t-il à s'installer dans l'ancienne métropole qu'il affirmait haïr? Encore si le métropolitain pouvait faire table rase du passé, s'il avait enfin une conscience devenue complètement sereine; mais la présence de l'immigré l'empêche d'oublier une histoire glorieuse pour certains, scandaleuse pour d'autres. Le Maghrébin n'est pas un immigré russe ou roumain, un étranger venu là par hasard, il est le bâtard de l'affaire coloniale, un reproche vivant ou une déception permanente. En somme le métropolitain accepterait l'immigré s'il était invisible et muet; or à partir d'une certaine densité démographique le fantôme prend une terrifiante consistance; d'autant que, rassuré par le nombre, il ose au contraire parler fort, et dans sa langue natale, et s'habiller quelquefois dans son costume traditionnel! Il n'est pas bon d'avoir mauvaise conscience, ou de se sentir historiquement battu; il est pour le moins difficile de raisonner sereinement. D'où la confusion qui règne dans les esprits dès que l'on aborde les problèmes nés de la décolonisation.

On voit les séquelles de la décolonisation sur l'ex-métropolitain, cette fois. L'affaire dite des sans-papiers illustre ce nouveau duo qui s'est instauré, bon gré mal gré, entre les deux anciens partenaires de la colonisation. Pour l'ex-métropolitain la situation devrait être définitivement réglée par un solde de tout compte, comme on dit dans le commerce lorsqu'on met fin à une relation. Pour l'ex-colonisé, il existe toujours un passif à résorber : « Ils nous ont assez pillés ! Ils nous doivent bien quelque compensation ! » La compensation, c'est du travail, et des papiers qui permettent d'en avoir sans être obligés de raser les murs. Lorsqu'il occupe une église, sous l'œil bienveillant du curé et à l'embarras de l'archevêché, il n'a pas l'impression de commettre un acte particulièrement scandaleux ou illégal : il pense au contraire qu'il se fait partiellement rembourser une dette, contractée naguère envers lui. C'est un sentiment assez répandu dans son pays natal : « Nous ne leur demandions pas de visas lorsqu'ils voulaient venir chez nous ! » Le Brésil, la nation la plus puissante de l'Amérique du Sud, n'a tout de même pas oublié qu'elle fut la colonie du Portugal, qui lui devrait aujourd'hui encore un traitement de faveur. C'est ce que pense, plus ou moins confusément, une partie de l'opinion métropolitaine, qui soutient leurs revendications. Les défenseurs inconditionnels des sans-papiers rappellent par exemple leurs contributions aux guerres de la République, aux travaux de reconstructions qui ont suivi : « Nous leur devons bien ça ! » Il faut délivrer des papiers d'identité nationale à tous les immigrés, qui leur permettraient de sortir d'une insupportable clandestinité ; et, dans la foulée, leur donner le droit de vote, sans exiger une naturalisation, c'est-à-dire ne plus les considérer tout à fait comme des étrangers. Et, sans doute, à observer le destin de ces exilés si proches, leurs tribulations pour arriver jusqu'ici, les dangers encourus, leur obstination à gagner le pays d'accueil malgré la mort de plusieurs de leurs semblables, leurs souffrances quotidiennes, leurs angoisses permanentes, leur humiliation, il serait inhumain de leur refuser une amélioration de leur sort. Il est difficile de ne pas se laisser emporter par l'émotion.

Mais il est vrai aussi, comme le pense une autre partie, que, ce faisant, on contrevient aux lois en usage ; c'est nier la notion de territoire et de frontières nationales ; c'est encourager et récompenser les plus audacieux. Délivrer des papiers à tous ceux qui en font la demande, c'est accepter l'installation sur le sol national de tous les étrangers qui le souhaitent : que deviendrait alors la nation ? Qui peut prévoir les retentissements de ces afflux incontrôlés de gens d'une autre culture sur la culture nationale, sur les institutions, l'économie, la démographie ? N'est-ce pas contribuer au déclin de la civilisation chrétienne déjà menacée ? Inquiétude plus ou moins fondée, mais il existe aussi une angoisse du majoritaire, qui se traduira dans ses votes de plus en plus à droite.

Alors faut-il verrouiller plus sérieusement les portes ? Ne plus tolérer les ruses des immigrants déjà présents, bien connues, surtout dans les petites localités, mariages blancs, rémunérés quelquefois, embauches fictives par des compatriotes, hospitalités de complaisance, etc. ? Mais ici l'affaire se complique : il se trouve, en même temps, que la société ex-métropolitaine a besoin de l'apport des immigrés, non seulement sur le marché du travail mais aussi démographiquement, les deux étant d'ailleurs liés. C'est un considérable et double événement : l'Europe est de plus en plus peuplée de gens vieillis ; dans quatre pays européens sur dix les décès l'emportent sur les naissances. Ce qui n'est pas encore le cas des USA, et qui explique en partie leur allant. Comment assurer dorénavant le paiement des retraites, qui, par un système discutable, sont prélevées sur les cotisations des plus jeunes ? Au-delà de l'hypocrisie ambiante, de la couardise électorale des politiques à exposer clairement la situation, l'équation est évidente : les femmes européennes, tentées légitimement par des carrières jusqu'ici réservées aux hommes, ne procréent plus suffisamment pour compenser cette carence démographique et les nécessités de la production. Ce sont les entreprises qui furent les fourriers, plus ou moins discrets, des premières vagues d'immigration, pour se procurer la main-d'œuvre qui leur faisait défaut, ou à bon marché ; ou pour peser sur le prolétariat local : les premiers Algériens arrivés en France en 1905 furent appelés pour contrer une grève de dockers à Marseille. L'industrie européenne ne semble plus pouvoir fonctionner sans les bras des immigrés. Or, en face de ce vide, le tiers-monde est peuplé d'adolescents inoccupés, qui viennent cogner sur les murs de l'Europe et en font une forteresse assiégée. Or aucune forteresse, l'histoire nous l'apprend, ne résiste éternellement. En outre, d'une manière inattendue, cette forteresse a besoin, dans une certaine mesure, d'entretenir des relations avec ses assiégeants, parce qu'elle a besoin d'eux. C'est la source d'une redoutable perplexité pour les pays d'accueil.

Ainsi au dilemme de l'ex-colonisé correspond le dilemme de l'ex-colonisateur, qui, ayant perdu ses colonies, espérait, au moins, s'être débarrassé d'un poids encombrant. Voilà qu'il le retrouve sous un autre visage. Chacun se débat dorénavant devant des problèmes inédits, qu'il ne sait pas résoudre. Pour l'ex-métropolitain : comment intégrer au mieux les nouveaux arrivants ? Ce n'est pas la première fois que le pays devait absorber des immigrants, les mineurs polonais, sans lesquels les mines de charbon ne pouvaient plus être exploitées, ou les maçons italiens, puis des Portugais, des Espagnols ; mais il s'agissait d'individus ou de petites minorités, de cultures semblables et de la même religion, qui, pour cela, finissaient par s'assimiler et disparaître. Il est question maintenant de groupements nombreux et compacts, de religion et de mœurs différentes. Comment les intégrer? Quel en sera le prix à payer? Durant la colonisation de l'Algérie, des esprits clairvoyants s'étaient avisés que la seule manière de prévenir les soubresauts des colonisés serait d'en faire, loyalement, des citoyens français à part entière. À quoi le général de Gaulle a fait remarquer dans une boutade qu'il y aurait alors plusieurs dizaines de députés musulmans à l'Assemblée nationale; ce qui lui paraissait insupportable, de même qu'à la majorité des Français : que deviendraient alors l'unité relative et l'identité de la nation? Cinquante ans plus tard, ironie de l'histoire, les Français, qui ont préféré renoncer à leurs colonies plutôt que de mettre en péril leurs spécificités nationales, se retrouvent devant le même problème. Décidément l'immigration est la punition du péché colonial.

Que peut faire de son côté l'immigré devant ce mur de méfiance et de suspicion? Il va réagir comme tout organisme en milieu hostile : par un réflexe également naturel il va se cuirasser, se replier sur lui-même et sur les siens; il s'accrochera d'autant plus à ses différences qu'on lui demande d'y renoncer. Certes, il ne regrettera pas d'être parti et ne songe pas, pour le moment du moins, à rentrer ; il a tout de même fini par trouver du travail, il gagne beaucoup plus, les plaisirs sont ici nombreux et surtout licites, il a infiniment plus de libertés. Mais croyant passer d'un purgatoire au paradis, il découvre qu'il est passé d'un purgatoire à un autre, plus confortable certes, mais aux lois duquel il doit se plier. Dorénavant, au lieu de revendiquer simplement cette nouvelle et entière citoyenneté, qui lui est discutée, il prendra ses distances ; on lui demande d'être transparent, il sera au contraire plus opaque, il intègre un ghetto.

LE GHETTO, REFUGE ET IMPASSE

Le ghetto n'est pas seulement un substitut de la Terre promise, décidément décevante sinon illusoire, mais un duplicata en réduction de la patrie abandonnée. C'est entre ces deux représentations que va se dérouler la nouvelle vie, écartelée, de l'immigrant. Dans les quelques ruelles, où le ghetto se concrétise, se trouvent des lieux de culte, où des imams exotiques l'exhortent au respect du Coran et à la solidarité de tous les musulmans ; des cafés accueillants où, le temps de quelques verres de thé ou d'une partie de machine à sous, devant une émission télévisuelle en provenance de l'Afrique du Nord, de l'Égypte ou de l'Arabie saoudite, se commentent les événements, s'échangent les inquiétudes et les espoirs communs, les rumeurs nées dans cette fermentation, nocive quelquefois ; des boucheries, aux enseignes en caractères arabes, proposent de la viande rituelle, *hellal* ; des épiceries offrent dans un désordre de souk les mets de l'enfance, épices, graines, légumes et fruits importés, dont les effluves rayonnent jusque dans la rue ; des bazars où voisinent pêle-mêle des tapis de prière, des espadrilles et des ustensiles de cuisine en plastique ; où surtout, préservé du regard des étrangers, il n'a pas l'impression d'être de trop ; entouré de visages familiers, même inconnus, il se sent presque au pays, au milieu d'une majorité factice. Son logement est à l'image du ghetto : coussins recouverts d'étoffes de couleurs vives, tapis rapportés de là-bas ou médiocres copies chinoises ; service à thé en cuivre ciselé, importé des pays de l'Est, sur un guéridon en imitation de marqueterie ; une reproduction de la *Kâaba*, la pierre noire de La Mecque, et de la foule innombrable des pèlerins ; un verset du Coran au-dessus de la porte d'entrée, et, là encore, vu l'exiguïté des lieux, les odeurs échappées de la minuscule cuisine imprègnent tout. Sur le bord de la fenêtre ou sur le toit une parabole de télévision indique son appartenance plus sûrement que la boîte aux lettres, et le relie à ses « frères » partout dans le monde. Ainsi, en attendant un retour, plus ou moins mythique, au pays natal, dont il parle complaisamment, il en aura recréé un fac-similé qui lui permet de le rêver, et de patienter.

C'est cette concentration, à la fois physique et culturelle, que les majoritaires, particulièrement en France, désignent, craignent et dénoncent sous le terme de communautarisme. Suggérant, méfiants sinon indignés, qu'elle serait la preuve de la résistance de l'immigré à s'intégrer au corps collectif de la nation. Ce qui n'est pas faux mais seulement à moitié. Comme souvent, la vérité est circulaire : le ghetto est, à la fois, un refus et une réaction au refus, réel ou imaginé, par les autres. Le ghetto, comme naguère les ghettos juifs, entretient, nourrit la séparation mais il en est aussi l'expression ; il est la coquille, sécrétée par un groupe minoritaire qui s'estime, à tort ou à raison, menacé dans son existence propre. C'est pour échapper à la menace, un repli, un enfermement avec les siens, au milieu desquels il se croit à l'abri.

La constitution de petites communautés au sein de l'ensemble national n'est pas le résultat d'une volonté perverse visant à sa destruction, ni, d'abord, une philosophie, mais une agglomération spontanée et utilitaire de minoritaires, qui n'ont pas pu s'identifier complètement à la majorité ambiante ; ce à quoi, simultanément, ils aspirent. Ce rassemblement leur permet en outre de mieux considérer, éventuellement de résoudre, leurs problèmes spécifiques, que la communauté nationale a du mal ou se refuse à envisager. Par exemple celui des impératifs religieux ou des fidélités politiques, qui ne coïncident pas nécessairement avec ceux de ses nouveaux concitoyens; et qui sont d'autant plus réaffirmés qu'ils sont en exil et que, sans eux, ils hésiteraient sur leur identité. Tel qui pratiquait mollement le ramadan se croit tenu maintenant de jeûner sans défaillance, au moins par solidarité. On comprend que les intégristes soient des partisans du ghetto; c'est là que la personnalité collective a le plus de chance de survivre; c'est là où ils peuvent entretenir une agitation permanente, propice à leurs desseins.

Il demeure, malgré tout, et l'immigré le découvre tous les jours, que le ghetto n'est pas la solution à ses tourments. Le ghetto est un refuge, il n'est pas une prison, un lieu clos; il en sort tous les jours, pour travailler, pour se distraire, pour les nécessités administratives. Bon gré mal gré, il est contraint de se confronter à ce monde du dehors, qui, de plus en plus, est aussi en lui; de comparer ce qu'il était à ce qu'il est devenu. Le ghetto ne résout aucun des problèmes posés par la cohabitation entre ces deux mondes. Et, quelquefois, une crise éclate à l'occasion d'une contradiction insoluble, par exemple comment concilier la prégnance par la religion dans la vie du musulman et la laïcité républicaine? Les manières de considérer la condition féminine? Or il ne peut à la fois réclamer l'égalité et refuser les conditions de l'intégration.

Cependant, qu'il le veuille ou non, et il le souhaite également, quels que soient les doutes du majoritaire, son intégration à la majorité ambiante, celle des siens, de ses enfants, progresse. Les jeunes manifestants, dans les foules arabes, contre l'Amérique portent la casquette et le jean américains. La production littéraire est, là encore, pleine d'enseignements ; les œuvres abondent qui tentent de décrire les difficultés, les contradictions de l'intégration, entre la nostalgie du pays natal, l'affirmation d'une identité d'origine et l'espoir revendicatif, et souvent coupable, d'une adoption plus complète par le pays d'accueil.

On n'affirme jamais autant son identité que lorsqu'elle est menacée. C'est au moment où le monde arabe tente une percée dans la communauté des nations qu'il en découvre le prix à payer. Il est à la fois fasciné par le monde occidental, dont il reconnaît tacitement la victoire, sinon la supériorité, et révolté par les abandons nécessaires de larges pans de ses traditions et de sa personnalité collective. Comment ne vivrait-il pas une crise permanente ?

Comme les maladies, les crises sont fructueuses ; grossissant les traits elles révèlent mieux la nature d'un organisme. L'affaire du port du voile est à cet égard pleine d'enseignements. On savait déjà qu'il pouvait signifier une soumission coutumière à une tradition ethnico-religieuse, à l'instar de la croix pectorale des catholiques, de la colombe des protestants ou de la kippa des croyants juifs ; un simple conformisme vestimentaire : ma grand-mère, qui n'était pas musulmane, ne serait jamais sortie dans la rue sans s'être enveloppée de son *haïk*, cette grande pièce d'étoffe blanche, qui la couvrait tout entière et pas seulement la tête, « elle se déguisait en fantôme », plaisantions-nous. Les événements qui ont secoué le monde arabo-musulman, et principalement les guerres contre l'Irak, en ont révélé d'autres aspects. De nouvelles porteuses sont apparues, qui ne le portaient pas jusque-là. Passons sur leurs arguments, médiocres ou rusés ; au nom de la liberté, par exemple : « On est libre en France, non ? Eh bien, je suis libre de porter le voile ! » ; être libre de ne pas l'être, est-ce encore de la liberté ? Ces petites sottes ne voient pas qu'elles agissent contre elles-mêmes, en refusant des lois qui les libèrent au profit de dogmes qui les asservissent. Elles exigent, au nom d'une laïcité mal interprétée, de ne pas être laïques. Du reste le problème n'est pas dans cette liberté mais dans sa signification. « Le voile protège les femmes du regard des hommes » ; pourquoi ne pas protéger également les hommes du regard des femmes ? N'est-ce pas un traitement particulier pour la sexualité féminine ? Pour les protéger du désir des hommes, faut-il qu'elles ne soient pas désirables, comme les dévotes juives qui se font raser la tête ? Et surtout : respecter celles qui souhaitent être ainsi protégées ne donne pas le droit de vitrioler celles qui ne le souhaitent pas. L'argument religieux ne vaut guère mieux. « C'est Dieu qui l'exige ! » ; Dieu a bon dos, si l'on peut dire. Que vient faire la divinité dans cette affaire de sexe, et pourquoi avantagerait-elle les hommes ? Le Coran n'y fait d'ailleurs qu'une brève allusion et encore ce n'est qu'une suggestion. Même si le port du voile était pour certaines une liberté, il ne doit pas se transformer en une contrainte pour les autres, ce que soutiennent les intégristes. Le port du voile est, comme l'excision, une emprise sur le corps des femmes. Les nouvelles porteuses de voile participent de la régression qui affecte le monde musulman, elles tournent le dos à la libération des femmes, qui avance irrésistiblement partout dans le monde ; elles continuent à se soumettre à la sourde angoisse des hommes dès que l'on touche à leurs privilèges sexuels. Il s'est trouvé en Algérie puis dans les capitales occidentales des foules de femmes pour manifester en faveur du port du voile ! On assiste à un retour du voile dans certains pays arabes, la Tunisie, par exemple, où il avait quasiment disparu. Comme si les femmes du Moyen Âge réclamaient le port de la ceinture de chasteté. En fait par-delà les arguties, on a vu apparaître un aspect revendicatif, sinon provocant : le voile est devenu le drapeau d'une cause : «Vous n'aimez pas les musulmans, leur vue vous irrite ? Eh bien, je le proclame, je suis musulmane, je vous en impose la vue ! Celle d'un membre du groupe honni par vous. » Que fait-on en effet lorsqu'on ne vous ouvre pas les bras sinon refermer les siens ? Le voile est un ghetto portatif, révélateur du trouble identitaire qui affecte les immigrés musulmans, une manière de raffermir une identité déjà chancelante, en prenant ses distances d'avec les majoritaires.

D'où l'embarras du législateur et de l'homme de la rue, si libéraux soient-ils : faut-il y voir une toquade d'adolescentes en mal de singularité agressive ? Ou un geste militant, début d'une escalade ? Après le port du voile, que vont-ils encore réclamer ! Ne sont-ils pas déjà en train de remettre en question les lois fondamentales de la République : l'égalité des sexes, la médecine sans entraves, la neutralité scolaire ? Le voile apparaît comme un aspect d'une conduite plus générale, celle d'un recours, défensif et offensif, à une autre tradition. Ainsi considéré le port du voile, comme la consommation de viandes préparées rituellement ou l'observance réaffirmée du ramadan, fait partie des machines de survie de la communauté musulmane, immergée dans un univers chrétien ou pire a-religieux. D'où la véhémence qui accompagne les débats et qui révèle des angoisses sous-jacentes et réciproques.

Cependant, quel que soit son trouble, la majorité des immigrés est fortement tentée par l'intégration, qui est la solution exactement contraire. Mais elle n'est pas plus aisée ; à terme elle mène au métissage, c'est-à-dire au risque de dilution au sein de la majorité. D'où, une fois de plus, l'embarras des intellectuels arabes, qui ne se sont pas davantage manifestés dans un débat qui aurait pu être fécond : quelle doit être la part de l'adoption des mœurs occidentales, européennes, dans l'avenir des peuples arabes ? Il est possible que, s'ils étaient consultés, une majorité serait pour le port du voile. Même si le métissage est l'avenir probable de nos sociétés en mouvement, il continue à faire peur ; mais on gagnerait, là encore, à ce que les enjeux soient clairement exposés, et n'est-ce pas le rôle des intellectuels d'y contribuer ?

Les mariages mixtes sont à cet égard pleins d'enseignement. On estime à cinquante pour cent le nombre des jeunes Français juifs qui contractent des mariages mixtes, pourtant condamnés par le rabbinat, qui se veut le gardien de l'intégrité de la communauté juive. On ne connaît pas le chiffre concernant les jeunes franco-arabes, il ne doit pas être très différent. Les leaders exigent alors la conversion du conjoint non musulman. De même, l'Église catholique tolère les mariages mixtes à condition que les enfants soient baptisés. Pour le moment le mariage mixte apparaît presque comme une trahison ; aucun groupe ne consent à ce qui lui paraît une espèce de suicide.

Bref, il n'y a pas de solution parfaite pour les minoritaires ; l'assimilation n'a jamais été commode, du moins à ses débuts. Le conjoint d'un mariage mixte doit affronter les contradictions éventuelles entre son groupe d'origine et le groupe d'accueil. Comment un croyant juif peut-il accepter aisément de travailler le samedi ? Un croyant musulman de manger du porc à la cantine ? Ils ne peuvent qu'hésiter entre le raidissement, sinon l'enfermement, qui les sépare plus encore de leurs nouveaux concitoyens, ou la dilution et peut-être la disparition collective. Comme tout le monde n'est pas doué pour un cosmopolitisme vécu, avec ses éventuelles conséquences, les difficultés, ou les ruptures, sont plus fréquentes dans les ménages mixtes que dans les autres.

La fin des colonisations, une présence dans les organismes internationaux, suite à l'émergence de nations indépendantes, l'argent du pétrole, la participation aux systèmes bancaires, l'enrichissement considérable de certains, une affirmation culturelle et religieuse de plus en plus manifeste ont laissé espérer au monde arabo-musulman une ère nouvelle : or il n'est toujours pas commode d'être arabe, ou noir, en Occident. Au contraire, cette plus grande proximité dans les affaires économiques et politiques du monde, cette promiscuité dans le travail, et par les femmes, ont douloureusement souligné le fossé qui continue d'exister entre les anciens maîtres et les affranchis. Le sentiment d'une inégalité, devenue intolérable, entretient une amertume grandissante. La présence d'immigrés, de plus en plus nombreux au sein même de l'Occident, révèle une nouvelle expansion de l'islam, mais aussi sa défaite continuée, son incapacité à suffire à ses enfants. Là se trouve le terreau, et la plaidoirie de l'activisme islamique : pour arracher enfin une complète égalité avec l'Occident, pervers et égoïste, uniquement préoccupé de ses privilèges, il faudra encore une lutte acharnée, une guerre.

Il n'est pas évident cependant qu'il puisse mener une véritable guerre. Pour qu'une guerre soit possible, il faut une relative égalité entre les adversaires; or, jusqu'ici, les ex-colonisés n'ont pas réussi à se classer dans la même catégorie que l'Occident, dirait-on en langage sportif; la différence de poids demeure insurmontable. Même en tenant compte d'un relatif déclin, l'Occident conserve une considérable supériorité, scientifique, technique, militaire et même philosophique. C'est sa conception de l'univers, fortement inspirée par les avancées de la science, sa morale à ambition universaliste qui régit, tant bien que mal, les relations entre les habitants de la planète. La doctrine des *droits de l'homme* par exemple, bien que devenue une espèce de tarte à la crème, est admise, en rechignant, même hypocritement, par la plupart des têtes pensantes partout dans le monde. À quoi le tiers-monde ne peut opposer que des penseurs périmés depuis des siècles. Or ce sont dorénavant Freud, Marx, Einstein qui gouvernent les esprits; même si de brillantes individualités, de plus en plus nombreuses, font carrière dans les laboratoires et les universités, mais y pratiquant la science et la technique occidentales. Jusqu'ici toutes les batailles militaires contre l'Occident furent également perdues. Ironie de l'histoire, le Kosovo, musulman, n'a dû sa survie qu'à l'aide des Américains, comme la pseudo-victoire de Nasser, contre la France, l'Angleterre et Israël, n'a été obtenue que grâce à la volonté des Américains et des Russes.

Lé conflit guerrier entre le tiers-monde et l'Occident se réduit donc à des opérations ponctuelles, confiées à de petits groupes ou à des individus, champions sacrifiés, précisément pour éviter un affrontement direct. Mais les attentats et les voitures piégées, s'ils occasionnent des souffrances individuelles et des destructions déplorables, seraient incapables d'obtenir des résultats décisifs. S'ils peuvent procurer à certains la satisfaction de quelque revanche, ils augmentent chez tous, au contraire, le sentiment douloureux d'une impuissance collective.

On s'est demandé si tous les ex-colonisés partagent cette humiliation, née d'une constante défaite commune, et l'espoir de quelque événement insolite qui les en sortirait enfin — ce que proclament les activistes intégristes. Un intellectuel musulman a été jusqu'à déclarer qu'en tout musulman il y a un intégriste qui sommeille ; s'il ne fait que sommeiller ce n'est pas bien grave. Toute totalisation est une erreur et une injustice ; mais il existe des conditions objectives qui s'imposent à la quasi-totalité des membres d'un groupe ; même s'ils les nient ou qu'ils n'en sont pas tout à fait conscients, ils en tiennent compte, dans leurs pensées et dans leurs actions. Il existe ainsi une condition féminine qui s'impose à toute femme, même lorsque la fortune ou les hasards de la naissance lui permettent de la contourner ;

une condition du juif, qu'il l'accepte ou la refuse. Après sa condition de colonisé, le décolonisé doit affronter une situation nouvelle à laquelle il faut répondre, alors qu'il n'en est pas individuellement atteint, selon son tempérament, ses appartenances sociales, par la ruse, la résignation ou la révolte. Que voit-il s'il se promène dans les rues sinon les marques de l'infériorité des siens ? Les balayeurs, les manœuvres, les égoutiers sont presque tous des immigrés ; comme si l'esclavage d'antan avait simplement changé de physionomie. « Je déchirerai les rires *Banania* sur tous les murs de France ! », avait promis Léopold Sédar Senghor ; le nègre-Banania n'est plus sur les murs, mais il est dans les rues. Seulement il n'a plus son éclatant sourire ; la difficulté de se procurer un logement, la discrimination dans l'emploi, dans sa vie sexuelle, l'ont rendu amer. A-t-il, lui-même, surmonté toutes ces difficultés, la pauvreté et l'exclusion de la majorité entretiennent l'humiliation de tous. Combien de majoritaires fréquentent des immigrés, les invitent ou vont volontiers chez eux ? Qu'il soit marchand de marrons à la sauvette ou gérant de supermarché, l'immigré n'a toujours pas la conviction qu'il est un citoyen légitime de sa nouvelle patrie.

À qui la faute ? La réponse n'est pas simple. Elle n'est pas du seul fait du refus majoritaire. La vie des immigrés et leurs relations avec les autochtones sont également régies par des mécanismes objectifs. L'immigré est un nouveau venu et les retardataires ont rarement de bonnes places. Surtout il existe un malentendu entre le majoritaire et l'immigré. L'immigré s'impatiente de ne pas bénéficier d'un statut égal à celui de ses nouveaux concitoyens ; pourquoi n'a-t-il pas accès aux postes les plus prestigieux ? Or le majoritaire croit qu'il a déjà beaucoup accordé en le recevant. Il ne peut, d'emblée, lui offrir tous les avantages que procure l'appartenance ancestrale ; il faudra qu'il fasse ses preuves. Il lui demande, en attendant, d'être reconnaissant et, pour le moins, de se conformer aux us et coutumes de la cité. À lui de se fondre dans la communauté nationale. Et sans doute est-ce la sagesse quand on est en pays étranger. Mais les hésitations du majoritaire font hésiter l'immigré. Voilà qu'on lui demande d'ajouter une nouvelle défaite à sa défaite, qui lui a fait quitter son pays natal ; on veut lui faire payer d'un prix, plus pénible encore, son billet d'entrée : changer d'âme ou jouer la comédie. À cette idée, il est saisi de vertige devant ce gouffre, où il risque de s'abîmer. «Sans mon turban je me sens tout nu », s'angoissait un Pakistanais.

De son côté, comment le majoritaire comprendrait-il les réticences, le raidissement de son hôte, à qui, malgré tout, il a, généreusement pense-t-il, ouvert sa porte ? S'il impose ses lois et ses coutumes, c'est légitimement, naturellement, parce qu'elles font partie de l'air qu'il respire. Même s'il n'est pas assidu auprès d'une église, son existence est réglée par ses traditions religieuses, ses fêtes chômées sont à fond religieux, les vacances scolaires de ses enfants coïncident avec le calendrier clérical ; ses commémorations nationales, même s'il en plaisante, font intimement partie de sa culture ; sa ville est quadrillée de monuments à la mémoire collective. Il existe une myopie spontanée des majoritaires qui les empêche de voir les minoritaires qui vivent parmi eux. Comment la présence insistante de l'immigré ne lui paraîtrait-elle pas insolite, presque menaçante pour un équilibre installé depuis des siècles ? « Un policier noir, me confiait un confrère peu suspect de racisme ou de xénophobie, me paraît déplacé », il ne reconnaissait pas ses policiers habituels. Beaucoup de majoritaires sont moins à l'aise devant un médecin immigré, comme d'ailleurs un immigré préfère s'adresser à un médecin originaire de son pays. Ainsi la fameuse intégration, dont tout le monde parle comme d'une nécessité, sans trop savoir de quoi il s'agit, est à la fois voulue et récusée par les deux parties.

DE L'HUMILIATION
AU RESSENTIMENT

Mieux vaut en convenir : un ressentiment profond agite l'ex-tiers-monde et plus particulièrement le monde arabe ; il a toujours existé, mais il peut enfin s'exprimer ouvertement. Ressentiment de vaincus, qui ne voient toujours pas d'issue prévisible à leur défaite. D'autant plus violent que le tiers-monde a grand besoin de l'Occident alors que l'Occident n'a pas autant besoin du tiers-monde. On peut se passer du café récolté en Afrique ou en Amérique centrale, mais pas des médicaments élaborés dans les laboratoires européens. Le tiers-monde puise largement dans la culture de l'Occident ; l'Occident, sauf pour quelques emprunts, rythmes musicaux ou traits vestimentaires, fort peu dans celle du tiers-monde. Ce n'est pas l'un des moindres drames du décolonisé qu'ayant reconquis le droit à vivre sa singularité, il doive emprunter tant à celle des autres. Il en est toujours ainsi entre dominants et dominés ; la culture du dominant accompagne son emprise économique et politique. Il y a bien le pétrole et quelques matières premières, mais on peut se les procurer en les payant ; le tiers-monde a davantage besoin de vendre son pétrole que l'Occident de l'acheter ; c'est de là qu'il tire l'essentiel de ses revenus... qu'il réinvestit en Occident.

Que faire quand on est battu et humilié de sa défaite ? On peut rêver d'une autre vie ; d'un passé nostalgique où l'on fut puissant et riche, savant et cultivé, avec des ancêtres mythiques, des héros surhumains, des souverains régnant sur des empires immenses ; ou d'un avenir fabuleux où l'on sera à nouveau prospère et invincible. Mais un tel hiatus entre cette vie rêvée et la réalité n'est pas propice à un juste équilibre et à une maîtrise de soi. Or la réalité que l'on côtoie tous les jours et qui en fait l'ordinaire est celle de la convalescence interminable des séquelles de la colonisation, de la pauvreté du plus grand nombre et de l'opulence scandaleuse de quelques-uns, la corruption des possédants et du petit bakchich de la plupart ; de la résignation de tous, malgré quelques soubresauts désordonnés, inefficaces et aisément réprimés, la démission ou la complicité des élites, l'éteignoir culturel au profit de l'obscurantisme religieux, le machiavélisme intéressé et dérisoire des politiques, la comparaison envieuse, presque toujours à son détriment, avec les autres peuples, dont certains, moins pourvus par la nature, réussissent pourtant leur développement.

Le décolonisé pourrait aussi il est vrai considérer plus lucidement ses carences, évaluer sa part de responsabilité. C'est ce que font courageusement quelques auteurs. Mais cette méritoire autoaccusation ne supprime pas la culpabilité et les meurtrissures de la flagellation ; sans compter l'indignation des siens devant ces dévoilements jugés intempestifs. Lors de la deuxième guerre anglo-américaine contre l'Irak, le musée national de Bagdad, qui contenait des pièces précieuses pour la compréhension du patrimoine de l'humanité, fut pillé et vandalisé. Clameur accusatrice des Irakiens, largement relayée par la presse européenne : les Américains auraient programmé cette catastrophe : « Ils ont voulu nous voler notre mémoire ! », affirmaient les larmes aux yeux les Bagdadis interrogés. Quel profit auraient trouvé les Américains dans le rapt de la mémoire collective des Irakiens ? En quoi, du reste, la Chaldée et Sumer font-ils partie de la mémoire des Arabes qui, à l'époque, se limitaient à quelques tribus de la péninsule Arabique ? Quelque temps après on découvrit que les voleurs étaient des trafiquants irakiens, à l'instar des pilleurs de tombes de l'Égypte ancienne, qui vivaient de ce fructueux commerce, ou des trafiquants des trésors des temples d'Angkor, parmi lesquels on compte André Malraux. Le soufflé retomba. Mais les mêmes journalistes qui avaient précipitamment décrit avec horreur le prétendu sacrilège commis par les troupes d'occupation changèrent de batterie : les Américains n'avaient pas emporté les fameux vases et bas-reliefs, mais ils avaient laissé faire ! Ils étaient donc, tout de même, les vrais coupables. Quelque temps après encore, on apprit que les principales pièces d'art, que l'on croyait disparues, avaient été sauvées par une employée avisée et cachées dans les caves du musée. Le crime n'avait même pas eu lieu. L'affaire comportait cependant un enseignement : l'essentiel était que les Irakiens fussent innocentés et que les coupables fussent les autres. Il est probable que l'on oubliera ce dénouement et que l'on ne retiendra que la criminelle carence des Américains.

Ce transfert de responsabilité permet une victimisation, qui absout ou allège la culpabilité collective, stigmatise un coupable hors de la communauté, et ira du même coup alimenter le ressentiment. À chaque crise, où s'échangent des violences, on ne se demandera pas quelle est la part de chacun dans l'événement, la stratégie éventuelle des dirigeants ; un même cri traverse le monde arabe : « On nous agresse ! On veut nous détruire ! », comme s'il y avait un complot universel ourdi contre lui, sans qu'il y soit pour quoi que ce soit. La guerre contre l'Irak était discutable, mais les commentateurs arabes font l'impasse sur les crimes de Saddam Hussein et de son régime ; la guerre est vue comme une entreprise contre tout le monde arabe confondu. Même en temps de paix les activistes arabes, plus ou moins confusément suivis par leurs opinions publiques, se considèrent comme spoliés par le reste de l'univers : « Ils nous ont exclus du festin du monde ! », écrit joliment un de leurs poètes. Pourquoi, pourrait-on leur demander, n'organiseraient-ils pas leurs propres festins ? C'est qu'il leur faudrait alors reconnaître leurs carences personnelles ; et s'accuser soi-même, donc s'accepter plus ou moins comme coupables. Il est plus commode d'en rejeter les causes sur les autres, tous les autres puisqu'on ne peut leur prêter un visage singulier.

Il s'ensuivra que le ressentiment devra englober tous les non-musulmans partout dans le monde ; pour le moins tout l'Occident. Si la haine de l'Amérique a remplacé celle du colonisateur, ce n'est pas seulement parce que les USA représentent le plus fort, c'est parce qu'ils sont la quintessence de l'Occident. Ils seront donc frappés en premier, mais personne en Occident n'est innocent du malheur des peuples arabes. Tous méritent une punition à la mesure du dommage causé, même sur leurs descendants. C'est une dette négative dont ils auront, tous, tôt ou tard, à répondre. Comme le ressentiment, la vengeance est totalisante. Et il ne suffira pas que les coupables soient désignés, il faut qu'ils soient punis, c'est-à-dire symboliquement détruits. C'est à ce prix, on le constate lors de la plupart des procès, que l'intégrité de la victime pourrait être rétablie. Avantage supplémentaire, le ressentiment et la vengeance sont l'occasion d'une communion plus resserrée des victimes, soudées dans leur détresse puis dans leur victoire éventuelle.

Mais, ironie du sort, le ressentiment est encore l'expression d'une dépendance. Et, dans la mesure où les activistes bénéficient de quelque indulgence, ce n'est pas la moindre des contradictions qui affectent dorénavant la vie de l'ex-colonisé : ses activistes souhaitent et croient pouvoir entreprendre la destruction d'une société où il espère, malgré tout, trouver sa place.

LA SOLIDARITÉ DES VAINCUS

En somme l'actuelle collision — il y en a eu d'autres — entre le monde arabo-musulman et l'Occident a deux faces : la violence et la solidarité ; la violence contre l'Occident et la solidarité inconditionnelle interarabe. La solidarité inconditionnelle est encore une réaction de vaincus et de dominés ; les vainqueurs n'en ont guère besoin, ils se suffisent. Il existe ainsi une solidarité entre juifs, plus accentuée qu'entre leurs concitoyens majoritaires, parce qu'ils s'estiment en permanence menacés ; une solidarité entre Noirs, à cause du handicap de leur couleur qui les désigne inévitablement à l'attention des autres ; une instinctive solidarité entre les femmes, à cause de leur fragilité en face des entreprises masculines. La solidarité entre les colonisés ne s'est toujours pas éteinte chez les décolonisés.

Solidarité émotionnelle d'abord, spontanée, qui nous fait nous précipiter vers un semblable qui nous semble en danger. À la pensée du sort des Palestiniens, une intellectuelle confie : « Il m'arrive de ne pas parvenir à dormir... je me mets à pleurer. » Mais aussi solidarité sélective : par discrétion, je ne lui ai pas demandé si son sommeil était perturbé lors des guerres entre Arabes, ou du gazage des Kurdes par les Irakiens. Elle n'a pas pleuré durant la guerre entre l'Iran et l'Irak, où manifestement l'Irak, pays arabe, était l'assaillant, ni lors de la destruction des avions de ligne par les hommes de main de Kadhafi, qui a fini par le reconnaître. Mais l'injuste condition faite aux Palestiniens est vraiment son affaire propre, pas celle des Kurdes puisqu'ils sont les victimes d'autres Arabes. Il n'y eut ni explosions de foules en fureur, ni même quelque défilé de protestation. Pendant le conflit entre la Grèce et la Turquie, un ami psychiatre, capable, par profession, de garder la tête froide, politiquement libéral, raconte qu'il avait alors « craqué » ; « Je ne savais plus où j'en étais. » Sa raison lui conseillait, jusqu'à plus ample informé, de tenir la balance égale entre les deux adversaires, mais son cœur l'inclinait vers la Turquie, nation pourtant non arabe mais tout de même musulmane.

La solidarité génère une indulgence automatique. Les mêmes, qui s'effrayent des attentats perpétrés par les kamikazes ou les condamnent : « Ce sont des illuminés ! », murmurent également : « Ben Laden est une figure emblématique, une espèce de héros... tout de même il est gonflé ! », etc. On a, malgré tout, quelque sympathie instinctive, sinon quelque admiration pour les héros, même s'ils ne sont pas sans reproches. Tel qui reconnaît que Saddam Hussein fut un abominable tyran n'en fut pas moins contre les mesures prises à son égard, les sanctions puis la guerre. Il explique que c'est au nom de la légalité internationale, violée par les Américains ; ce qui est vrai lors de la seconde guerre, mais pas de la première, laquelle a reçu l'aval de l'ONU et de la plupart des nations. C'est qu'il ne s'agit pas tant de respecter le droit international, encore assez défaillant, et pour lequel il n'a pas été tant sourcilleux en d'autres occasions, que d'empêcher une agression contre un pays frère. Il lui est, en tout cas, reconnaissant d'avoir porté haut les couleurs communes, contre l'Occident.

La solidarité se transforme ainsi en un devoir impérieux, qui transcende le droit ; lequel d'ailleurs est perçu comme une création de l'Occident pour ses propres intérêts, ce qui n'est pas toujours inexact. Les activistes ne manqueront pas de le rappeler aux défaillants, au besoin en les frappant durement. Les régimes arabes modérés seront punis presque autant que les infidèles. Il existe une responsabilité objective, qui incombe à tous les musulmans devant l'inique condition qui leur est faite : quiconque s'y dérobe doit être considéré comme un traître, car il fait ainsi le jeu de l'ennemi. Or même une simple déclaration, une allusion, une mise en question affaiblit le combat commun. Celui qui, au contraire, entretient minutieusement ce lien incontournable est considéré comme un saint; s'il lui offre sa vie il devient un martyr, c'est-à-dire l'expression de la vertu la plus haute, puisqu'elle est un complet sacrifice à la communauté. Bravade ou provocation, des mères proclament leur fierté du sacrifice de leurs enfants. Le nom des kamikazes est régulièrement suivi du terme de *shahid*, qui signifie martyr, en effet.

Assurément la solidarité n'est pas négative en elle-même; elle soutient l'individu en renforçant le lien social, elle procure le sentiment euphorique de la communion; elle est une mesure de protection contre l'hostilité, vraie ou imaginée, des étrangers au groupe; elle apporte de l'aide aux plus démunis, elle rectifie des injustices. Mais elle devient elle-même injuste lorsqu'elle est inconditionnelle. Le déferlement émotionnel n'est pas propice à un examen raisonné des événements, il entretient les phantasmes collectifs, voile la vérité et conduit à des comportements sectaires. Il ne s'agit pas de savoir qui a raison et qui a tort, mais s'il porte le même ruban à son chapeau. La lutte légitime contre les injustices subies par des musulmans aboutit ainsi à des injustices envers les non-musulmans;

il en était ainsi également au Moyen Age chrétien. Le témoignage en justice d'un musulman doit l'emporter sur celui d'un mécréant. Cette iniquité n'a pas encore tout à fait disparu, par exemple à l'égard des minorités qui vivent en pays d'islam. Elle fait croire que le monde arabo-musulman est monolithique, ce qui n'est plus vrai. Il est faux que tous les musulmans approuvent aujourd'hui le sectionnement des mains des voleurs ou la lapidation des femmes adultères. Mais leur condamnation n'éclate pas en plein jour, elle demeure masquée par les exigences de la solidarité ; de sorte que le débat est confiné à l'intérieur du monde arabe, entre ceux qui s'en tiennent à la tradition et ceux qui voudraient affronter la modernité. Sur le plan diplomatique, les majorités automatiques, qui découlent de la solidarité inconditionnelle dans les assemblées internationales, en ont ruiné la crédibilité. Le général de Gaulle, parlant de l'ONU, la qualifiait de « machin », et un diplomate assurait que l'on pouvait y emporter un vote, après avoir défendu l'existence d'un cercle carré. En 2003, le colonel Kadhafi, autre dictateur à vie, réussit à faire élire l'un de ses hommes à la tête de la commission des droits de l'homme : pas une voix arabe ne lui a manqué. La solidarité inconditionnelle empêche enfin l'émergence d'une véritable loi internationale, qui ne soit pas seulement un compromis entre des égoïsmes nationaux. Les Arabes n'en sont certes pas les seuls responsables, mais ils ne sont pas de ceux qui tentent d'édifier une morale universelle. Ce qui d'ailleurs se retourne souvent contre eux : quels que soient les avantages de la solidarité, n'ont-ils pas, eux-mêmes, intérêt à la promotion d'une justice commune à tous les hommes ?

UNE IDENTITÉ COMPOSITE

La solidarité inconditionnelle exige enfin une apologie systématique. Vous étonnez-vous de la présence d'eunuques, jusqu'à une période très récente, dans la quasi-totalité des cours arabes ?

« Attention ! vous dira-t-on aussitôt, la castration est interdite en islam !

— Soit ; mais cela n'a pas empêché l'utilisation des eunuques au moins pour garder les harems.

— Oui, mais les Arabes n'ont fait que les acheter, dans des "usines à castrats" » (cela existe en effet !), « qui appartenaient le plus souvent à des chrétiens orientaux ; d'ailleurs l'Église catholique romaine s'en procurait également pour le chant rituel, jusqu'au XVIIe siècle inclus. »

Ah, si les Arabes ne faisaient que les acheter, ils doivent en être absous ! Mais les crimes des uns peuvent-ils excuser les crimes des autres ? L'interdiction de l'usure, chez les musulmans comme chez les chrétiens, n'a nullement empêché les bons croyants d'y avoir recours, en rejetant le blâme sur le prêteur juif.

Faites-vous allusion à la tragédie de l'esclavage des Noirs, organisé par des marchands arabes, en de véritables expéditions au cœur de l'Afrique, qui rassemblaient des troupeaux d'hommes, de femmes et même d'enfants, dont beaucoup mouraient en route ou dans les cales des bateaux ?

— Oui, mais les Arabes se contentaient de les vendre à des Européens, chrétiens, qui, eux, en faisaient des esclaves, pour les besoins des colons américains. En outre avec la complicité des chefs traditionnels africains.

Ah, si les Arabes se bornaient à fournir les négriers, avec l'aide des Noirs eux-mêmes, alors ils doivent être absous !

Du reste, plaidera-t-on encore, ces horreurs doivent être replacées dans le contexte d'une époque où la castration et l'esclavage faisaient partie des mœurs. Soit encore. Mais il ne s'agit pas seulement du passé ; la castration se pratique toujours ; l'esclavage est en usage en Arabie saoudite, au Soudan, en Mauritanie, au Yémen, dans les Émirats. Au Mali, à Bamako, les potentats, anciens élèves des grandes institutions européennes, russes ou américaines, rentrés chez eux, retrouvaient tout naturellement leurs esclaves. Les beys de Tunis, petits roitelets qui ne tenaient leur pouvoir que de l'Empire ottoman, eurent des esclaves et des eunuques jusqu'à l'abolition de leur monarchie par Bourguiba, il y a encore quelques décennies. En Algérie, un marché aux esclaves, noirs pour ne pas changer, se tenait à Aflou, sur les Hauts Plateaux : pourquoi l'Algérie démocratique le tolérait-elle ? Pourquoi n'élevez-vous pas la voix contre la persistance de ces pratiques abominables ? Pourquoi, aujourd'hui, semblez-vous consentir par votre silence à l'excision, cette mutilation qui prive les jeunes femmes de leur sexualité, après les avoir mises en danger de mort ? À la suite de son interdiction par les autorités françaises, les parents, installés en France, envoient leurs petites filles se faire charcuter au pays : aucune protestation à ce jour, non plus du reste chez les intellectuels européens. Vous expliquez alors doctement qu'il s'agit d'un rite, surprenant pour les Occidentaux, mais qui fait partie d'un « ensemble culturel », qu'on ne pourrait abolir du jour au lendemain sans porter atteinte à toute une culture. Que les jeunes filles qui ne s'y soumettraient pas risqueraient de demeurer célibataires, etc. Ainsi pour respecter (ah, ce fameux respect, que de crimes…) un trait culturel, vous consentez à la souffrance, à la mutilation et à la mort ? Défendriez-vous également la crevaison des yeux des apprentis musiciens pour les concentrer sur leur art, parce que c'était dans les mœurs ?

La complaisance de l'apologiste, sinon sa mauvaise foi, commune du reste aux gardiens de toutes les traditions, est sans limites. À la conférence islamique mondiale, au-delà de quelques regrets platoniques, excepté une voix ou deux, aucun chef d'État n'a consenti à signer une résolution condamnant les attentats-suicides. Pour justifier l'injustifiable, au contraire, on tord le cou à la vérité et à la justice, on pratique les retournements de valeurs, on exaltera les fantasmes identitaires. Une jeune femme, professeur, explique avec sérieux que le ramadan permet de bénéfiques cures d'amaigrissement. La danse du ventre, agréable divertissement érotique, devient le symbole de la spiritualité. Il y a peu, un professeur de théologie musulmane, qui enseigne dans Genève la vertueuse, a tenté de défendre le lynchage des femmes adultères. Peut-on préférer, a-t-il plaidé, le laxisme sexuel de l'Occident ? Seul l'islam est capable d'être un rempart contre cette chiennerie qui pourrait polluer toute la planète. Un autre, plus innocent, fait l'inventaire des mots français d'origine arabe : abricot, bazar, magasin… ou insistera sur la transmission à l'Occident de la philosophie grecque, ce qui est exact, voulant ainsi révéler l'étendue de la dette de l'Occident envers l'Orient, qui existe certes, et même de la supériorité de l'Orient, ce qui ne peut se discuter. Ah, vous nous avez assez dominés, méprisés et spoliés, nous allons vous démontrer que nous valons autant que vous et même davantage, que nous pouvons surtout nous passer de vous !

Il s'agit toujours de défendre la personnalité collective des siens, injustement décriée et menacée. En quoi l'apologiste n'a pas tout à fait tort : les décolonisations et les libérations des peuples ont eu également comme résultat une confrontation directe entre les valeurs occidentales et les siennes. Mais ce défi, imposé par l'histoire, le décolonisé n'est pas sûr de pouvoir le relever. Même lorsque, grâce à quelque sophisme, il transforme ses fragilités en mérites, il craint, au fond de lui-même, d'être encore perdant, comme il l'a été durant la domination de l'Occident. Certes, sauf dans les déserts les plus isolés, toute culture subit de tels assauts; toute culture est dynamique et composite, en constante transformation, surtout depuis ce mouvement qui emporte tout le monde contemporain. Toute identité devient ainsi conflictuelle en elle-même et en conflit avec les autres. Même la civilisation de l'ex-colonisateur se trouve aux prises avec celle de son rejeton américain, plus vigoureux, qui l'investit de toutes parts. Mais celle-ci possède suffisamment d'assise pour supporter, sans se dénaturer, de telles alluvions, qui l'enrichissent plutôt, et qui sont souvent des broderies sur un fonds occidental commun.

Sous ses airs conquérants l'intégrisme, et le fanatisme qui l'accompagne, est le produit d'un désespoir : celui de ne pas être à la hauteur de cette inévitable lutte. Il ne peut opposer qu'un retour à une intégrité perdue, c'est-à-dire un recul devant l'obstacle. Un retour vers quoi? Où se trouve cette pure intégrité? En quoi consistet-elle ? Hormis quelques mythes originaires, dont, d'ailleurs, les interprétations diffèrent selon les écoles et les besoins, la culture arabe, telle que nous la côtoyons aujourd'hui, est le résultat de la longue et fructueuse quête des conquérants arabes auprès des divers peuples conquis. L'islam a pris à l'Iran ou à la Turquie autant qu'il leur a apporté. On est loin aujourd'hui, en Irak ou en Turquie, de la civilisation des bédouins de Mohammed. L'intégrisme est une utopie passéiste ; et à supposer que ce passé ait réellement existé comme il le présente, l'intégriste utilise des armes périmées pour un combat inédit.

Lorsque l'on affirme tant son identité, c'est qu'elle est déjà en péril. À travers les proclamations identitaires, l'occidentalisation, qu'on s'en réjouisse ou qu'on le déplore, imprègne progressivement le patrimoine commun à tous. Les jeunes générations, enfants des immigrés, préfèrent le rock au malouf ; c'est peut-être une faute de goût, mais elles y trouvent le même plaisir que toutes les jeunesses du monde. Il est de bon ton de mépriser la nourriture des snacks, mais les adolescents y trouvent de quoi manger copieusement pour pas cher. Les négociateurs japonais, puissants et riches, qui traitent avec les Européens, ne se présentent pas en kimono mais en complet veston. Les droits de l'homme et du citoyen sont une acquisition irréversible de tous les peuples, même de ceux qui affirment les récuser. C'est au nom de ces droits que, par un juste retour, on réclame la protection juridique et humanitaire des prisonniers, incarcérés à Guantánamo, qui voulaient détruire ces mêmes droits.

Il est probable que ce nouveau système de valeurs a créé une forme nouvelle, et commune, de dépendance. Mais son succès n'est pas accidentel : il va vers une plus grande autonomie des individus et des peuples, qui est dorénavant réclamée par tous. Ce qui ne sera pas plus facile à assumer. Il était peut-être plus aisé de vivre replié dans son village que d'affronter le monde ; d'enfermer les femmes que d'affronter leur sexualité et l'attirance entre les sexes. Mais ce sont tout de même des gains probablement irréversibles ; le décolonisé ne peut les refuser, comme l'exigent les intégristes, simplement parce que l'histoire a voulu qu'ils soient proposés par les Occidentaux. D'ailleurs comment s'y prendrait-il ? À défaut d'une islamisation de l'Occident — ce que proclament carrément les imams fous de Londres —, le décolonisé, surtout s'il est un immigré, ne peut que vivre ces conflits nés de son immersion dans une autre culture. Il aura de plus en plus, comme tous les habitants de la planète, une personnalité composite. Il est vrai que cela est plus troublant pour lui parce qu'il doit, pour accéder à la modernité, renoncer à une part de ce qu'il fut.

Il sait, par exemple, il en convient désormais, que, sauf pour des visites périodiques aux allures touristiques, il ne retournera plus volontiers dans son pays natal. Il n'est pas loin de penser que ce serait au contraire un bouleversement catastrophique dans sa vie. Il a découvert, et admis, que c'est la fin d'un mythe : celui d'un retour définitif.

Longtemps il a voulu croire qu'un jour il mettrait fin à ce qu'il considère comme un exil. Tous les exilés ne sont pas des ex-colonisés, mais tous les ex-colonisés installés dans un pays d'accueil se considèrent d'abord, plus ou moins, comme des exilés ; ce sont également des exilés volontaires. C'est aussi et surtout un alibi, qui déculpabilise l'immigré de l'abandon de sa patrie : il ne l'a quittée que contraint par la misère, surtout celle, insupportable, des siens, à qui il peut envoyer régulièrement l'essentiel de son salaire. Un jour cette situation, qui le sépare des siens, il y mettra fin, sans trop savoir comment. Puis le temps passant, il se refait une autre vie, avec des repères et des plaisirs nouveaux, presque aussi vraie que l'ancienne. L'exil n'est pas toujours un malheur ; certaines plantes, déplacées, s'étiolent ; d'autres s'adaptent fort bien et connaissent une vigueur nouvelle. C'est le retour au pays qui devient progressivement une espèce de rêve, dont il perd peu à peu la consistance. Ne reste plus d'assurée que la nostalgie ; et en somme on aime mieux de loin ; son pays est presque plus présent en lui que lorsqu'il y était. Le Maghrébin évoque avec attendrissement les soirs d'été, la mer, la friture fraîche et abondante, achetée en vrac directement au pêcheur ; le chameau aux yeux bandés, pour ne pas être pris de vertige, qui tourne inlassablement autour de la noria, pour faire jaillir des entrailles de la terre une eau bienfaisante ; il exalte les odeurs exquises, jasmin, fleur d'oranger, épices, apportées par la brise ; oubliant, sinon à l'occasion d'une plaisanterie, les nauséabondes, celles des ordures oubliées par une municipalité négligente ; la pourriture entêtante du lac, où se déversent les déjections de la ville, qui entretiennent, en revanche, une faune de mulets gros et gras, appréciés par toute la population, riches et pauvres ; il passe sous silence la perfidie du soleil, la torpeur torride des mois de juillet et d'août, qui brûle les poumons et la végétation, à laquelle ne résistent que l'insolence lumineuse des ibiscus et la modestie tenace des géraniums, dans l'attente de la césure providentielle du 15 août, la fête de la Vierge, la Madone des Siciliens, qui marquera pour tous le début de la lente décrue de la canicule. Contre le pays d'accueil où, affirme-t-il, tout est plus rude, le climat, les gens et les mœurs, il continue à défendre un pays natal, où il assure qu'il reviendra un jour, mais qui est devenu de plus en plus imaginaire, que ses envois d'argent contribuent à faire survivre, à l'instar de ces villages fantômes d'immigrés portugais, soigneusement entretenus, à qui il ne manque ni un seul rideau aux fenêtres, ni même une voiture, dans un garage, et destinés à n'être jamais habités.

Mais si le pays natal n'a pas changé, du moins dans son souvenir, lui s'est insensiblement transformé. À la suite d'un assouplissement de la législation du pays d'accueil sa femme a pu le rejoindre. Il n'est plus ce célibataire qui traînait sur les trottoirs de Barbès, ne sachant quoi faire de lui-même, entre le foyer où il partage sa chambre avec un camarade et le café où il retrouve les autres. Ceux qui n'ont jamais connu la solitude de l'exil du pauvre ne peuvent en mesurer le délaissement et l'amertume ; or les premiers contingents de travailleurs immigrés étaient presque tous formés de célibataires. La nouvelle loi, qui autorise le regroupement familial, l'a sorti de ce désespoir muet. Le pays d'accueil n'est pas le paradis escompté, c'est entendu, mais il y a trouvé du travail, un toit, des droits (!) sociaux, que personne ne lui conteste, sauf une minorité d'horribles racistes, eux-mêmes condamnés par la population majoritaire ; il peut se faire soigner gratuitement, il est correctement habillé ; le voilà réuni avec sa femme, grâce aux mains bénies de laquelle il se nourrit à nouveau des mets de l'enfance. Il sait naviguer, sa femme surtout qui échange des informations avec ses amies, entre l'allocation de logement, qui lui rembourse presque le loyer, la prime de transport qui le fait voyager presque gratuitement, le RMI s'il a déjà travaillé, l'allocation de chômage, même s'il n'a jamais eu d'emploi légal, l'allocation familiale, la couverture de maladie universelle, pour sa femme l'allocation de femme au foyer, et même l'allocation de parent isolé, au besoin en divorçant juridiquement, tout en continuant à vivre ensemble, si possible l'allocation de réfugié politique. Il changera de nom en cas de nécessité. Il faut de nouveaux papiers pour cela, mais il existe assez d'officines spécialisées dans le faux ; on dit que les Camerounais y sont les meilleurs. Et s'il y a contestation de la part de l'administration, il demandera l'assistance judiciaire gratuite, pourquoi s'en priver, d'un avocat. D'ailleurs, c'est à peine une faveur, tous les Français en bénéficient, pourquoi pas lui, qui est le plus démuni ?

Bientôt il découvre avec étonnement qu'il aura passé plus de temps ici que là-bas (tiens : qu'est-ce que *ici* et *là-bas* maintenant ?). Il continue à retourner au pays, beaucoup plus rarement depuis que sa femme l'a rejoint, mais il constate, avec embarras, qu'il n'y est plus aussi accordé qu'il le croyait ; il était un émigré, il s'est transformé en une espèce d'exilé dans son propre pays. La langue, par exemple, a évolué en son absence, il ne comprend pas certains mots nouveaux, nés de situations nouvelles, surtout chez les plus jeunes, il est gêné par la rapidité de leur élocution. Au bout de quelque temps, il ne songe plus tout à fait à revenir, il navigue entre ses deux nostalgies, il prend quelque distance avec les deux, ce qui est réaliste.

S'il a été assez astucieux, délaissant les ruses et les emplois misérables du début, pour ouvrir un petit commerce, une épicerie, un café ou un garage, en attendant mieux, n'est-il pas, économiquement au moins, un ressortissant du pays d'accueil, dont il paye les impôts? Même s'il ne prend pas encore part aux consultations électorales, cela viendra. Et lorsqu'il retourne dans son pays d'origine avec une voiture pleine de gadgets, qu'il revendra au meilleur prix, afin de payer ses billets de bateau ou d'avion et ceux de sa femme, ne fait-il pas tout simplement des affaires avec ses ex-concitoyens, comme s'ils étaient des étrangers? S'il est un intellectuel, il continue à parler de « racines », à réclamer un « retour aux sources », à défendre son « identité », sans trop préciser en quoi consistent dorénavant ces sources et ces racines; il a fait installer, il est vrai, une antenne parabolique pour être directement connecté sur les pays arabes, depuis peu sur la fameuse *Al Djazira*, en laquelle il a davantage confiance, ce qui est une manière de se focaliser sur sa part orientale. Ce qui est compréhensible quand on en est loin, mais paradoxal car au pays on est plutôt familier des chaînes occidentales, de France 2, parce qu'on cherche au contraire à échapper à l'emprise étouffante de la télévision locale. En privé, il ne se gêne pas pour brocarder ces «Orientaux», somme toute retardataires, malgré leurs fabuleuses richesses. Comment font leurs femmes pour manger avec ce voile sur la figure ? Doivent-elles le relever comme « un capot de voiture » ? Il n'approuve guère les potentats, qui se maintiennent au pouvoir sans élections libres, et souvent à la suite d'un coup d'État. Il ne goûte pas le fanatisme d'un autre âge, la stagnation des mœurs — ne dit-on pas qu'en Afrique noire le cannibalisme sacrificiel n'a pas totalement disparu ? Certes il n'en est pas à abandonner le rituel traditionnel, il aurait peur de se perdre tout à fait, et que transmettrait-il à ses enfants ? C'est là un devoir incontournable, mais il ne s'y identifie plus complètement. S'il ne renie pas toute solidarité avec les foules arabes, leurs déchaînements lui font peur ; il a un peu honte de ces flagellants iraniens qui se fouettent extatiquement jusqu'au sang ; les kamikazes, dont, certes, il comprend le désespoir, font certainement du mal à l'image de l'islam dans le monde. Décidément la société de ces pays frères est encore bien close, avec ses vieilles murailles qui tardent à s'écrouler.

En somme, comment ne le reconnaîtrait-il pas, il a fait siennes, quelque peu, les valeurs de liberté et de progrès des Occidentaux, les droits de l'homme et la démocratie, la liberté de pensée, et même une certaine justice pour les femmes, qui d'ailleurs ne lui demandent pas son avis, imitant ces femmes occidentales, épouses de certains de ses amis, et pourquoi pas le respect des minorités, n'est-il pas lui-même un minoritaire? Et, dans cette voie, il se demande timidement s'il ne pourrait pas militer dans l'une de ces organisations qui défendent ces valeurs. Déjà il est bien content que le syndicat le soutienne dans ses revendications professionnelles et sociales. Il se demande même quelle est la juste position dans l'affaire des foulards ou celle des sans-papiers, qui veulent tout tout de suite, alors qu'ils sont entrés illégalement dans le pays d'accueil et se refusent à demander leur naturalisation, qu'il a, lui, obtenue après tant de démarches. S'il ne craignait pas de sembler hésiter sur la solidarité avec les autres Arabes dans le monde, il dirait : « En somme, je suis un Français de confession musulmane, un citoyen comme les autres... si les autres voulaient tout à fait de moi », ce qui finira bien par arriver, malgré son accent, le faciès, et son nom par trop révélateur.

Non, décidément, il ne rentrera pas. Il vieillira ici, comme ces vieux travailleurs de la première heure, les *chibanis*, qui refusent de repartir, même lorsque les leurs, demeurés au pays, les en pressent, comme s'ils voulaient leur proposer de venir mourir parmi eux. On les voit, à deux ou sur la tête, car ils ont adopté le béret ... oyen, deviser sur les bancs publics, ... ur foyer. Mais eux sont comme de ... affranchis qui ne rêvent même ... é. L'immigré se considère comme ... ibre, de plus en plus libre; est-il ... ême homme qui a quitté il y a si ... on pays natal? Certes les cathédrales ont remplacé les mosquées et les cloches l'appel du muezzin, mais il peut prier dans des locaux désaffectés, en attendant mieux : ne parle-t-on pas de construire bientôt une vraie mosquée dans le voisinage? Toutefois, l'événement vraiment déterminant a été l'arrivée des enfants.

LE FILS DE L'IMMIGRÉ

Car il existe un hiatus entre l'immigré et ses enfants. Ils n'ont pas la même mémoire, pas la même conception de l'avenir, ils ne sont presque pas du même monde. L'immigré est somme toute un homme du passé; son fils et sa fille sont projetés vers le futur, même s'ils s'impatientent, s'ils désespèrent quelquefois d'y parvenir, ou s'y refusent. Le passé de l'immigré, même estompé de plus en plus dans les brumes du souvenir, lui donne une assise, bien que de plus en plus reconstruite, à la pensée de laquelle il soupire; à laquelle, veut-il croire encore, il pourrait éventuellement revenir. Malgré tout, il a encore des parents, des amis demeurés au pays, avec lesquels il correspond, à qui il téléphone, chez qui il pourrait séjourner, où il conserve un pied-à-terre quelquefois. Pour ses enfants il n'y a pas de retour possible, puisqu'ils ne sont pas partis ; et lorsqu'il leur arrive d'aller dans le pays de leurs parents, ils ne reconnaissent rien vraiment ; ce n'est pas un retour, c'est un voyage de découvertes, souvent décevant. Les vacances de l'immigré, coutume empruntée à l'Occident, sont synonymes d'un obligatoire séjour au pays ; son fils se rendrait aussi bien en Allemagne ou en Italie, où il va quelquefois suivre une fille. Ils n'appartiennent pas tout à fait à la même communauté. L'immigré vit péniblement une double appartenance, qu'il cherche à harmoniser. Le fils affirme, selon l'humeur et la circonstance, aussi bien : « Je suis français ! », « Je suis d'ici », que « Je suis algérien, marocain, tunisien ! » ; mais c'est, dans les deux cas, par provocation, pour défier les autres ; pour se convaincre aussi lui-même, comme ces croyants, saisis de doute, qui se récitent à eux-mêmes une litanie pour se réaffirmer l'existence de Dieu. Il y a plus de ressemblance enfin entre le citoyen, demeuré là-bas, et l'immigré qu'entre l'immigré et ses enfants.

L'immigré ne comprend même pas très bien ces jeunes gens qui sont pourtant nés de lui. Il avait un but, qu'il a presque atteint : en gagnant le pays d'accueil, il espérait échapper à la misère et s'intégrer autant que possible, se mêler à ses habitants, certes en gardant sa religion et quelques traits identitaires. Maintenant il s'habille comme ses nouveaux concitoyens, il postule aux mêmes emplois ; il jouit des mêmes divertissements ; il a ou rêve d'avoir une voiture ; ses enfants vont à l'école avec ceux des autres, bien qu'ils y soient quelquefois moins assidus, ce qui le chagrine, car il sait que l'école est ici la porte de toutes les promotions ; sa femme connaît les fournisseurs et les astuces qui rendent la vie agréable. S'il le pouvait, il passerait volontiers inaperçu. Voilà que ses enfants non seulement dédaignent ces acquis mais les remettent en question ; ils sont bruyants, revendicatifs, agressifs. Il se réjouit des avantages difficilement obtenus ; pour eux, ce n'est jamais assez : « Ils ne nous ont rien donné ! », clament-ils comme si c'était leur droit indiscutable. Et l'assimilation, qui était un vœu et un espoir, semble devenue une contrainte humiliante pour ses enfants, alors qu'elle est enfin à leur portée. Il reconnaît moins encore ses filles. Pourquoi, par provocation, se mettent-elles à porter un foulard qui les signale à l'attention ? Quelquefois, il est vrai, c'est lui qui le leur impose, ce qui les révolte également. D'une manière ou d'une autre, il s'agit toujours d'échapper à la traditionnelle autorité parentale. Elles le scandalisent par leur maquillage excessif et la mini-jupe obscène ;

elles ont des relations inédites avec les garçons, qui le bouleversent ; il craint pour elles des dangers qui, vu l'état d'esprit des garçons, ne sont pas toujours imaginaires. Le comble est lorsqu'il a découvert que sa fille flirtait avec un non-musulman ; il en a presque été frappé d'apoplexie, il ne savait comment réagir ; au pays, il l'aurait enfermée et battue, comme dans le passé, sinon tuée. Il a bien pensé à lui imposer rapidement un mariage arrangé avec un coreligionnaire, mais il aurait eu contre lui la loi des majoritaires, et même sa propre famille, sans compter une lutte épuisante avec la jeune fille. D'ailleurs, curieusement, les filles sont plus délurées que les garçons, plus libres vis-à-vis de la religion et de la tradition : elles n'ont à perdre que leurs chaînes.

Cette incompréhension entre les générations peut tourner à l'antagonisme, à l'hostilité ouverte, au mépris. Ainsi le fils n'a pas peur de la police comme son père, qui garde ses réflexes d'immigré. Il la provoquera, il osera lui lancer des pierres, sachant que dans un pays démocratique, il ne risque pas grand-chose ; il sera plus souvent délinquant, petit fournisseur de drogues semi-douces comme le haschisch, ou même dures, cocaïne, héroïne. Il pratiquera quelquefois un racket particulièrement odieux envers ses camarades de classe. Il n'est pas le seul ; la délinquance n'est pas une spécialité exotique, mais elle fleurit davantage chez les déshérités ;

et, comme le pourcentage de chômeurs et de pauvres est plus grand chez les enfants d'immigrés, la délinquance y est plus grande ; et surtout, la corrélation s'impose aux esprits.

Le père immigré en a honte, même s'il feint de protéger les délinquants. Il n'approuve pas le fumeur du métro qui envoie ostensiblement sa fumée malgré l'interdiction, et qui déclare à la cantonade, frondant les visages réprobateurs des autres voyageurs : « On veut nous emmerder avec ça ! » Il est scandalisé par les écarts de langage, même s'il essaie de les atténuer ; son épouse surtout, qui défend ses enfants ; il en est furieux et effrayé, parce qu'il sent remettre en question tout ce qu'il a si laborieusement construit. En retour il récolte le ressentiment, le mépris à peine dissimulé de ses enfants, qui, comme tous les enfants, auraient préféré un père plus glorieux. Mais ici l'écart est vraiment trop grand avec ce « vieillard » qui ressasse les souvenirs de son bled (ils l'appellent le *blédard*) et a longtemps « nettoyé la merde des autres » ; comment a-t-il pu accepter ! ils oublient que c'était cet emploi ou rien, que s'il n'avait pas accepté ils ne seraient pas là.

Le fils, lui au moins, est un révolté, pour son père, pour lui-même. Il ne sait pas encore quoi faire de sa révolte, mais il refuse en tout cas de s'identifier à son père, dont le salaire est devenu dérisoire comparé aux besoins et aux autres ressources de la famille, surtout celle du haschich qui l'emporte sur toutes les autres. S'il a le malheur de devenir chômeur, il apparaît presque comme une bouche à nourrir. La mère bénéficie quelquefois de cette carence de la figure paternelle ; le fils ne parle presque jamais de son père, méprisé et encore un peu craint, comme s'il était absent, de sa mère, si ; mais par son embonpoint, son illettrisme, sa manière de s'habiller, elle diffère trop cependant du modèle de la femme occidentale, mince, élégante, que, sans toujours l'avouer, il espère conquérir, et que les filles imitent ouvertement.

Le fils de l'immigré est enfin un homme nouveau en Europe, encore en train de naître, qui ne sait pas lui-même qui il est, qui ne sait pas tout à fait ce qu'il espère devenir. Il n'est jamais commode d'avoir honte de ses parents, et, en même temps, de douter de son avenir. Les immigrés italiens, juifs, russes, polonais qui ont gagné la France, avaient envers ce pays un mélange de reconnaissance et de quelque irritation parce qu'ils n'obtenaient pas assez vite ce qu'ils souhaitaient, mais ils le savaient et luttaient pour l'acquérir. Si tous les exilés vivent ainsi une identité troublée, tous ne sont pas les enfants d'un père colonisé par le pays qui est devenu, bon gré mal gré, le leur. Le fils de l'immigré maghrébin doit encore digérer le souvenir de la domination coloniale et de l'exploitation de la main-d'œuvre qui a suivi, à l'intérieur de l'ancienne métropole.

Alors qui est-il? Comment le désigner? Cette absence de définition claire indique déjà sa diffi-cile intégration à quoi que ce soit; à sa famille, où le père sombre et humilié, au silence har-gneux, ayant découvert l'alcool, y retrouve une vigueur orageuse et un semblant d'autorité; à une communauté, elle-même en proie à des troubles identitaires. Il s'était un moment dési-gné lui-même comme un *Beur*, anagramme approximatif en verlan d'Arabe, mais c'était se désigner comme étranger à la nation, française et chrétienne, s'arrimant à ses origines ethniques et musulmanes. *Jeunes Maghrébins* ne valait guère mieux, c'était encore d'une certaine manière une exclusion, une insistance sur la différence; c'est pourquoi on réduisit les enfants d'immigrés à l'adjectif *jeunes*, en référence seulement à leur âge, même si l'on savait bien qu'il s'agissait d'une jeunesse particulière, qui ne répondait pas aux critères, aux préoccupations, à l'avenir des autres jeunes. Cela permettait au moins d'excuser leurs manifestations excessives, leur solidarité spontanée avec les sottises commises par leurs camarades, leur révolte permanente contre les forces de l'ordre, la violence de leurs réactions contre la moindre sanction. Et comme ils n'étaient pas destinés à demeurer jeunes, il fallut en tout cas trouver un terme plus général, on proposa *Français musulmans,* sans trop savoir ce que l'on mettait dans chacun des deux mots.

À cause de leur couleur, les jeunes Noirs vivent une complexité supplémentaire ; ils sont instables, agités, mécontents d'eux-mêmes et du monde entier. Ils sont en conflit souvent même avec les *Beurs,* bien qu'ils partagent avec eux nombre de frustrations et de revendications ; c'est qu'ils se renvoient des images semblables, qu'ils refusent. Sans compter un vieux contentieux mal liquidé, le dédain traditionnel des Arabes pour les anciens esclaves, et la vague rancune des Noirs envers les négriers. Les violences des *Beurs* contre les *Blacks* sont d'ailleurs fréquentes. Seuls les Antillais, assurés de leur ancienneté dans la francophonie, échappent un peu à ce malaise, à ce doute sur soi et sur les autres ; même s'ils se réfèrent également à leur irrémédiable couleur et, depuis quelque temps, prêtent l'oreille aux manifestes indépendantistes. Les *Blacks,* comme ils se nomment, à l'instar de leurs camarades *Beurs,* ne sont pas plus indulgents envers leurs parents et leurs communautés. Eux aussi méprisent ces dociles, trop effacés travailleurs sénégalais ou maliens, qui ont fourni sans révolte excessive (même si, contrairement à la légende, ils se sont souvent rebellés contre le recrutement obligatoire) les régiments de tirailleurs, envoyés en priorité au massacre, et qui en ont été récompensés par une médaille et un emploi de balayeur ou d'égoutier.

Le *Beur*, comme le *Black*, se refuse à être balayeur ou égoutier ; alors que sera-t-il ? Pour ne pas être relégué en bas de l'échelle sociale, dans un pays où le diplôme a remplacé la naissance dans l'Ancien Régime, il faut passer par l'école. Or sa révolte s'étendra à cette institution, typique de la société majoritaire ; il traînera les pieds pour y entrer, il y sèmera le trouble, y voyant le symbole de toutes les contraintes, mettant les malheureux enseignants, pleins de bonne volonté, dans une situation invivable. L'ordre à l'école repose sur le respect consenti aux maîtres : comment faire fonctionner une classe où l'autorité a quasiment disparu ? Où le ricanement a pris la place du consentement ; où l'obscénité, l'insulte, la violence quelquefois remplacent la relation traditionnelle entre élève et maître ; où les élèves font la loi, interdisant certains sujets. Mais, ce faisant, le refus de l'école, qui peut-être aurait pu sauver le fils d'immigré, devient un aspect de son auto-destruction. Lui qui voulait contester ce système, qui a réduit son père au rôle de balayeur, risque d'y être réduit à son tour et de rejoindre la figure paternelle abhorrée. Si l'on y ajoute la méfiance hétérophobique dans l'embauche par le majoritaire, on comprendra que quarante pour cent des moins de vingt-cinq ans dans les banlieues soient chômeurs ; et prêts à toutes les dérives et toutes les sottises que peuvent inventer des jeunes gens inoccupés. Errant en troupeau ou palabrant sur les places ou dans les halls des immeubles ils suscitent l'appréhension des autochtones, qu'ils brocardent quelquefois.

Des organisations généreuses, les syndicats, les partis de gauche auraient pu être l'exutoire de cette impatience : voulant aider et représenter les déshérités, ils avaient là une clientèle nouvelle. Le socialisme a semblé un moment être la meilleure option pour les immigrés et leurs enfants, comme d'ailleurs pour le tiers-monde dans son ensemble. Ce fut l'occasion d'un autre malentendu. Les socialistes, au sens le plus large, n'ont pas perçu les spécificités des immigrés, ni d'ailleurs du tiers-monde. Ils n'en ont guère considéré les dimensions ethniques, nationales et religieuses. Ils avaient quelque excuse ; ils étaient eux-mêmes critiques envers ces dimensions. Préoccupés surtout par les intérêts de leurs propres troupes, ils en ont même quelquefois partagé les préjugés ; n'a-t-on pas vu un maire communiste utiliser un bulldozer contre un abri, édifié illégalement il est vrai, par des immigrés ? À tort ou à raison, l'immigré a eu l'impression qu'ils n'avaient pas toujours montré une égale détermination dans la lutte contre la discrimination dans l'emploi ; sur le plan international, les communistes et les syndicats alliés ont souvent privilégié, au détriment des nations du tiers-monde, la protection de l'URSS, la « patrie du socialisme », qui leur fournissait plus volontiers des armes, au prix fort, que de la nourriture et des aides techniques. Bref, le fils de l'immigré conclut que, dans ces milieux, l'on s'occupe de tout sauf de lui et de ses problèmes.

Il assiste bien à des réunions de *frères*, où l'on aborde enfin ce qui lui tient à cœur ; mais sauf à s'échauffer mutuellement sur le problème palestinien et la haine de l'Amérique, ou à se projeter dans quelque contrée imaginaire, une Afrique mythique pour les Noirs, une Andalousie pour les Arabes, c'est encore des voies sans issue, qui confirment au contraire son exclusion de la société quotidienne réelle. Aucune solution raisonnable n'apparaît dans ces parlotes stériles et sans fin. Il en a bientôt assez et retourne à son désœuvrement.

Le fils de l'immigré est ainsi une espèce de zombi, sans attaches profondes avec le sol sur lequel il est né. Il est citoyen français, mais il ne se sent pas tout à fait français ; il ne partage que partiellement la culture de la majorité de ses concitoyens, pas du tout la religion. Il n'est pas pour autant tout à fait un Arabe. À peine s'il en parle la langue, encore utilisée par ses parents, à qui il répond en français ou dans un mélange insaisissable par les tiers ; à l'école il ne la choisit guère en deuxième langue. S'il fait un retour à la religion, ce Coran, qu'il brandit dans les manifestations comme un étendard, à l'instar du voile chez les filles, il serait bien incapable de le lire.

179

S'il lui arrive de faire le voyage au pays d'origine de ses parents, il découvre à quel point ce n'est plus le sien. En tout cas, pour rien au monde il ne s'y installerait, comme s'il était le ressortissant d'une autre planète.

Et, véritablement, il est d'une autre planète : la banlieue. Ceux qui chantent le romantisme des banlieues ne savent pas de quoi ils parlent. Ils doivent confondre Sceaux, la discrète et élégante, tapie dans la verdure, avec Choisy-le-Roi, la lépreuse, abandonnée par le ciel et les édiles, pourtant à quelques kilomètres de la capitale. Habiter la banlieue des pauvres est habiter une autre ville, aux immeubles délabrés, aux ascenseurs dangereux, aux portes en contreplaqué, barbouillées de peinture écaillée, aux chaussées défoncées, où la boue règne en hiver et la chaleur en été ; la banlieue est un désert privé de centre, où les cafés sont rares et les magasins poussiéreux ; que ceux qui connaissent la moindre réussite fuient pour s'installer ailleurs, de sorte que la concentration de la misère et des problèmes demeure identique ; où la police n'entre qu'avec appréhension parce que sa seule vue suscite la colère des «jeunes», comme si ce territoire était un no man's land qui leur appartenait et qui serait ainsi violé par l'ennemi ; où les forces de l'ordre, il est vrai, exaspérées par l'incessante difficulté de leur tâche et la remise en question de leur autorité, n'apportent pas toujours le doigté dont elles font preuve dans les beaux quartiers.

Lorsque « les jeunes » descendent dans la vraie ville, celle des nantis, pour fuir la leur, ils ont l'impression d'une expédition, avec des sentiments émerveillés, envieux et agressifs ; et, lorsqu'ils rentrent, leurs retours prennent l'allure mélancolique de trop brèves vacances.

DE L'EXCLUSION
À LA DÉLINQUANCE

Ayant refusé l'identification aux parents, se croyant rejeté par les majoritaires, il ne reste plus au fils d'immigré qu'à exister par lui-même. Il lui faut donc rechercher un modèle ailleurs que dans la société majoritaire, hors des frontières. Mais cette autre identification n'est pas elle-même sans difficultés. Bien entendu, il ne va pas copier les conservateurs étrangers, chez qui il va retrouver les mêmes refus, mais les opposants et les marginaux ; dans ce que l'on appelle la sous-culture, américaine de préférence, principalement chez les Noirs. Ce qui est un autre paradoxe : il emprunte à l'Amérique abhorrée, par l'intermédiaire de ses contestataires il est vrai. Telle est la prégnance de la civilisation dominante qu'elle fascine même les dominés.

Il s'élabore ainsi un portrait, même physique, du fils de l'immigré, un portrait-robot, pourrait-on dire, reconnaissable à vue. T-shirt en été, blouson de cuir en hiver, obtenu à bon prix chez un fripier, et fréquemment un pantalon *baggy*, de *bag*, qui signifie en américain « sac », qui le fait ressembler en effet à un sac, à cause de son ampleur, qui lui tombe sur les genoux, gêne sa marche et lui fait par-derrière une abondante queue de mouton, à la manière du *séroual* arabe, que l'on voit encore aujourd'hui jusque dans le Tchad musulman. Il ne sait pas toujours, croyant puiser chez les Noirs, que les Noirs sont allés chercher leur inspiration en Afrique, non seulement à cause de la commune couleur de la peau, mais parce que, se jugeant encore dominés par les Blancs, après en avoir été les esclaves, ils croient retrouver ainsi leurs origines d'avant l'oppression. Pour la même confuse raison, certains se font coiffer en crête de coq, pour imiter les peuplades sud-américaines décimées par les envahisseurs espagnols. En mai 1968, certains contestataires, mal vus des étudiants à cause de leurs violences gratuites, arborant des chapeaux de fourrure et des chaînes, se nommaient eux-mêmes les « Afghans », parce que ceux-ci représentaient, croyaient-ils, la révolte absolue. Les cheveux à fines et multiples tresses viennent également d'Afrique via l'Amérique ; mais les garçons qui se font ainsi coiffer ne savent pas que cette mode est reservée aux femmes. Ainsi que le piercing et le tatouage, qui ont triomphé dans toute la jeunesse. Les Arabo-musulmans, mais aussi les sympathisants européens de la cause palestinienne, portent autour du cou l'écharpe noir et blanc, ou blanc et rouge en usage au Moyen-Orient. Sur la tête, la casquette, américaine également, en passe d'être adoptée par nombre de gens à cause de sa commodité et l'influence américaine, mais de préférence visière retournée sur la nuque, pour la détourner de son usage normal. Car, dans tout cela, il ne s'agit pas seulement de modes, comme chez les jeunes majoritaires, qui subissent une certaine influence du tiers-monde, par exemple dans la musique tam-tam, mais de signes ostentatoires, jusque dans la démarche, chaloupée à la manière des marins ou des lutteurs de foire, probablement pour donner une impression de plus grande présence physique, de maîtrise de soi et de force.

Pour la même probable raison, le fils de l'immigré se déplacera de préférence en groupe, comme souvent les adolescents, pour échapper à la solitude, et se renforcer de la présence de ses camarades. On n'est plus alors un individu mais le membre d'un clan, redoutable, qui fait peur en effet ; or la peur que l'on inspire est une jouissance, une provocation et une esquisse d'emprise sur les étrangers au clan. Chez le fils d'immigré, également une revanche ; pour contrebalancer les innombrables coups de balai de son père sur le trottoir, qu'il peut ainsi occuper ostensiblement tout entier avec ses compagnons, obligeant

183

les passants à descendre sur la chaussée. Il sera le plus bruyant possible, parlant fort, en arabe s'il le peut. Il ne cédera le passage à personne, fût-ce à une vieille femme, qui doit s'aplatir contre le mur, parce que les vieilles personnes appartiennent aussi à l'ennemi. Il traverse au feu rouge, avec nonchalance, pour obliger les automobilistes à ralentir. Dans le métro, il franchira le portillon sans payer, avec le petit plaisir supplémentaire de montrer son agilité à sauter pardessus le tourniquet ; il mettra ses pieds sur la banquette d'en face, rayera la vitre de sa signature. Considérant que toutes les lois n'ont pas été faites en sa faveur, mais contre lui, il n'a pas à les respecter.

En revanche, il aura ses propres rituels, qui sont grosso modo des manifestations de protestation et de provocation, sinon d'agression. Même la danse ou la musique prendront cette signification. Le *hip-hop*, le *rap* ou le *tag*, également importés d'Amérique, en sont symboliques. Le *hip-hop*, moitié danse moitié acrobatie, où les danseurs, s'aidant d'abord de leurs mains, arrivent à tourner, comme des toupies, sur leur seule tête comme pivot. Le *rap*, ce discours syncopé, accompagné ou non de musique, résonance probable des griots africains, est le substitut verbal d'une violence contre ce qu'il considère comme la violence institutionnelle du majoritaire. Le *tag* opère un pas de plus ; ces graffitis et ces dessins, non dénués quelquefois d'invention ludique, sur les murs, les voitures, les trains, jusque dans des endroits inaccessibles aux nettoyeurs, sont des intrusions dans l'univers du majoritaire qui est ainsi contraint de porter les yeux sur ces messages. Élément esthétique en moins, barbouiller les plaques des rues, qui en deviennent inutilisables, uriner dans les ascenseurs ou lacérer avec une lame le revêtement des sièges du métro ou des autobus, sont de la même veine. Encore un pas de plus et l'on en arrive aux incendies de voitures, régulièrement une vingtaine par nuit dans l'Hexagone, plus de trois cents rituellement la nuit de la Saint-Sylvestre.

Toutefois, pas encore aux attentats ; mais l'on a une gradation évidente dans l'échelle de la délinquance. La fameuse insulte : « Nique ta mère ! », « Nique ta sœur ! » veut atteindre le majoritaire dans ce qu'il y a de plus troublant, la sexualité des femmes, lui qui attache tant d'importance à la vertu des siennes ; ou, sur le plan collectif, cet incident qui a pris place dans les annales, ce jour où, au stade de France, des enfants d'immigrés ont sifflé *La Marseillaise*, l'hymne national français, signifiant par là leur hostilité à la nation tout entière. Ils crieront en revanche : « Nous sommes tous des Ben Laden ! », « Nous sommes tous des Saddam ! », affirmant ainsi ce qu'ils croient être leur véritable appartenance, à un étranger en conflit avec l'Occident ; ou cette menace, plus imprudente encore : « Nous sommes six millions, dans vingt ans nous serons dix millions ! », on verra alors...

Mais si la délinquance est une tentative d'atteinte à l'ordre établi, elle devient aussi auto-destructrice, car la société des majoritaires finit par se défendre. Une corrida avec la police, dans une voiture volée, peut se transformer en catastrophe, laquelle enclenche un cycle de représailles et de ripostes ; lesquelles confirment le sentiment d'exclusion et suscitent de nouvelles provocations et des délinquances accrues. Les prisons sont pleines de petits délinquants, fournisseurs par dose de drogues douces, chapardeurs de supermarchés, petits coqs bagarreurs à la tête chaude, machos violeurs de copines de banlieue. Ils ne sont pourtant qu'une minorité : il est probable que les gouvernants occidentaux préfèrent ne pas sévir exagérément contre des trafics qui nourrissent des milliers de personnes ; une répression efficace aurait d'ailleurs suscité d'autres formes de délinquance. Rares sont ceux qui atteindront à la grande violence, crapuleuse ou politique, mais où placer déjà ceux qui enverront un coup de poing dans la figure d'une vieille dame pour lui arracher son sac ? Est-il étonnant que les fils d'immigrés constituent un vivier pour les recruteurs de martyrs-kamikazes ? Si le ressentiment nourrit le terrorisme ?

Et cependant, malgré tout, le plus raisonnable, lorsque l'on vit en milieu étranger, serait une intégration aux majoritaires aussi poussée que possible, en apparence du moins; à l'instar des marranes qui, pour échapper aux foudres de l'Inquisition, ont feint, durant des siècles, de pratiquer le catholicisme. Mais ni les hommes ni l'histoire ne sont simplement raisonnables. Pour qu'une assimilation réussisse il faut que le minoritaire la souhaite et que le majoritaire y consente. Or, dans le cas de l'immigré comme dans celui de l'autochtone, ce n'est pas si sûr; tous les deux la redoutent autant qu'ils y semblent disposés.

À l'égard de l'immigré, l'autochtone a des sentiments ambigus. Lorsqu'il était colonisateur, il devinait assez bien les sentiments du colonisé; il lui arrivait même de compatir à ses difficultés. Si, à la suite de quelque soubresaut, il était parfois en danger, c'était un danger qu'il comprenait. S'il avait été lui-même dominé, peut-être aurait-il réagi de la même manière. Il avait simplement la chance d'appartenir à une nation puissante, d'être protégé par une police et une armée outillées pour une répression efficace. Or, paradoxalement, il ne comprend plus son ancien adversaire devenu son concitoyen. Avant c'était clair ; celui-ci réclamait son indépendance ; il l'a obtenue : que veut-il maintenant ? Surtout, pourquoi n'est-il pas demeuré chez lui, à jouir d'une liberté chèrement payée ? Pourquoi s'est-il dépêché de rejoindre cette ex-métropole qu'il affirmait haïr, dont il voulait se séparer à tout prix ? Pourquoi, encore, puisqu'il proclame qu'il y est malheureux, ne retourne-t-il pas dans son pays libéré ?

Ce n'est évidemment pas si simple, il le reconnaît également ; une si longue cohabitation entre colonisateurs et colonisés a créé des liens, économiques, linguistiques, culturels, familiaux même quelquefois. Et puis ce furent les difficultés économiques et politiques de la jeune nation, dont beaucoup, affirme l'immigré, sont des séquelles de l'occupation. Soit, concède encore le majoritaire, mais alors pourquoi ne s'assimile-t-il pas, vraiment, au lieu de demeurer une espèce d'étranger ? À l'époque coloniale, chacun vivant chez soi, on ne se connaissait guère ; la vie commune impose maintenant de faire connaissance. Le majoritaire a l'impression de se trouver devant un être à deux visages, l'un familier, l'autre inconnu, auquel il est, bon gré mal gré, confronté. Pour faire cesser cette étrangeté qui s'est glissée dans sa vie, il ne voit d'autre issue que la transformation radicale du minoritaire, qui le rendrait enfin ressemblant à lui-même.

Or il n'est pas sûr que cela soit possible ; il n'est même pas sûr de le vouloir vraiment. Comme tout étranger, l'immigré est perçu comme un traître potentiel. Au mieux il vit une double fidélité, envers son pays d'origine et celui qui l'a accueilli. Surviendrait-il une crise entre les deux, on ne sait comment il réagirait ; lequel il trahirait. Dans le doute mieux vaut le garder à l'œil. Lors de la dernière grande guerre les États-Unis ont, à tout hasard, placé dans des camps d'internement leurs citoyens d'origine japonaise, que rien ne rendait suspects ; les Français ont agi de même avec les Italiens, fussent-ils antifascistes ; les jeunes nations, y compris Israël, préfèrent exonérer du service militaire, c'est-à-dire de l'accès aux armes, leurs minoritaires. On s'est félicité en Europe, lors des hostilités contre l'Irak, du calme relatif des communautés musulmanes : n'est-ce pas supposer qu'elles auraient pu se livrer à quelque désordre ? Que leur solidarité avec un pays musulman aurait pu l'emporter ? L'immigré est soupçonné de mettre éventuellement en péril la cohésion, sinon les intérêts de son pays d'accueil ; il serait un cheval de Troie dans le ventre duquel grouilleraient des combattants armés qui, sur un signal venu de l'extérieur, se répandraient dans la cité pour en ouvrir les portes à l'assaillant.

C'est là une nouveauté dans l'histoire de l'Europe. Ce n'est pas la première fois qu'elle accueille des étrangers ; mais pour les assimiler, il faut non seulement le souhaiter mais le pouvoir. Cette fois elle n'est pas sûre de le pouvoir ni même de le souhaiter. Après le péril jaune, voici le péril musulman, devant lequel le majoritaire se sent désarmé. Le majoritaire français, et européen, n'est plus sûr de pouvoir digérer l'immigré musulman, comme il a absorbé, sans coliques excessives, les mineurs polonais, les maçons italiens ou portugais. Il aurait fallu en outre que la France croie encore à la densité, à la primauté de sa culture et de ses valeurs, ce qui est de plus en plus douteux. On proposait, on s'en souvient à peine, des ancêtres gaulois à tout le monde dans les écoles de la République ; cela irritait ou faisait rire, mais on finissait presque par le croire. Personne ne l'oserait aujourd'hui. On craint, au contraire, en instituant des cours de langue et de civilisation, d'aller contre les droits et les désirs, la personnalité collective des immigrés. D'où la mollesse pédagogique de l'ex-métropole ; elle s'est déchargée là encore sur les malheureux enseignants qui n'en pouvaient mais. Comme si, sans le dire ouvertement, on craignait que, de toute manière, les immigrés ne soient guère assimilables.

Et il est vrai que pour être assimilé il faut être assimilable. Or, aux craintes, réelles ou imaginaires, de l'assimilateur correspondent celles du candidat à l'assimilation ; aux refus de l'un les résistances de l'autre. Devant les exigences du majoritaire, le minoritaire est saisi de vertige comme devant un gouffre où il va se perdre sans recours. La polémique sur l'assimilation ou l'intégration n'est pas simplement sémantique : jusqu'où l'immigré peut-il et doit-il aller pour convaincre de sa bonne volonté? Suffit-il qu'il s'intègre en surface, et le peut-il, quitte à garder un quant-à-soi suffisant?

Les Italiens, les Portugais, les Espagnols, bientôt les Roumains, les Hongrois, européens et chrétiens, s'intégraient à une paroisse, étape sur le chemin de l'assimilation; Martinez devenait Martinet puis Martin. Les immigrés musulmans demeurent musulmans et continuent à se nommer Mohammed et Ali, donc visiblement et délibérément différents et séparés. L'islam n'est pas seulement une religion, c'est une culture et une civilisation qui englobent le social et même le politique. Ce fut le cas du christianisme, mais la majorité des Européens, croyants y compris, ont conquis le droit de ne pas soumettre la totalité de leur vie à leur Église. L'islam, religion encore jeune, donc plus exigeante, et par idéologie, n'a pas encore accompli cette séparation. Il demeure à la fois une prophétie et une législation; le code civil et la religion coïncident. Que faire lorsque les lois de la République sont en contradiction avec les lois religieuses? Comment faire la part de ce que l'on peut concéder au majoritaire et la soumission inconditionnelle à la tradition? Tout écart semble une trahison, qui suscite un sentiment de culpabilité : prenant distance avec sa religion, l'assimilé croit abandonner aussi les siens.

Les mariages mixtes, qui sont ailleurs la porte la plus courante pour entrer dans le groupe majoritaire, deviennent ici un lieu de perdition ou de compétition. Il demeure scandaleux chez l'immigré d'appeler ses enfants Pierre ou Paul, qui rappellent saint Pierre et saint Paul. On pourra tout au plus leur donner des prénoms ambigus : Gaïs, Kalis pour les garçons, Nadia, Sophia pour les filles. Le mieux serait que le conjoint renonce à sa propre religion et se convertisse à l'islam ; ce que beaucoup de familles exigent et obtiennent, avant de donner leur consentement : on aura gagné un musulman au lieu d'en perdre un. Mais c'est encore tourner le dos à l'intégration.

UNE DÉPENDANCE RÉCIPROQUE

Mais alors où allons-nous ? J'entends par «nous» tous les habitants de la planète, car cette affaire dorénavant nous concerne tous, ex-dominants, ex-dominés, et même ceux qui sont, croient-ils, restés en dehors de l'histoire. Ce sera du reste l'un des plus sûrs acquis des décolonisés que d'avoir réussi à s'imposer à l'attention du monde. Jusqu'ici les relations entre les peuples furent surtout des combats permanents entre des bandes rivales, habillés d'uniformes différents, chacun invoquant son dieu pour obtenir son aide et justifier ses rapines. Les morales et les religions, le droit étaient des tentatives pour atténuer la sauvagerie commune en la ritualisant. Les dix commandements, le jugement de Dieu, les droits de l'homme, le statut des prisonniers de guerre exprimaient des étapes dans ces efforts. Mais, simultanément, au XVIIIe siècle encore on enlevait les voyageurs presque sur toutes les mers, pour les garder comme otages en attendant une hypothétique rançon; le corsaire anglais ou français n'était pas moins cruel que le barbaresque. Et cela continue en Afrique et en Asie où l'esclavage n'a pas disparu. L'Europe vient à peine de renoncer aux colonisations, qui furent souvent des formes collectives d'esclavage. On n'hésitait pas à incendier, à raser les villes qui résistaient à l'envahisseur; on n'a pas agi autrement durant la dernière guerre. Les guerres modernes ne sont, sous de nobles habillages, que le même brigandage à plus grande échelle.

Or nous venons de faire une découverte décisive : nous vivons désormais une dépendance inédite. Jusqu'ici nous n'avions guère besoin les uns des autres sinon pour nous fournir en proies réciproques. La navigation et les caravanes assuraient les échanges de quelques produits rares, épices ou métaux précieux. Voici que la rapidité des communications, la concurrence à l'échelle mondiale ont développé une interdépendance générale. Certes on devra contrôler la mondialisation, veiller à ce qu'elle ne lèse pas les plus fragiles, mais personne ne pourrait revenir en arrière. L'anti-mondialisation est un leurre. Les Occidentaux ont découvert qu'ils ne pourraient pas vivre en paix si la majorité des habitants de la planète vit dans la misère et l'envie. À cause même de ses progrès, l'Occident est devenu un poussah glouton ; il en est à gâcher la nourriture et à détruire ses jouets comme un enfant gâté. Excepté quelques absurdes et scandaleuses poches de pauvreté, celle qui atteint les personnes âgées, par exemple, il ressemble à un immense Club Méditerranée, lequel jette aux ordures les nourritures excédentaires, alors que les villages environnants ne mangent pas à leur faim.

Même l'éparpillement de la violence concourt à cette solidarité ; la tragédie du 11 septembre 2001 a agi à la manière d'un électrochoc : les dominants ont découvert qu'ils ne sont même plus sûrs de pouvoir assurer leur sécurité. Le temps est révolu où ils pouvaient, avec quelques égaux, se partager l'empire du monde et y faire la loi selon leurs intérêts. Déjà les convulsions des décolonisations leur avaient révélé leurs limites. Voudraient-ils vivre en autarcie qu'ils ne le pourraient plus, pas même une seule journée, tant sont grandes leurs implications, économiques et politiques, avec le reste du monde. Mais, de son côté, l'ex-dominé doit reconnaître qu'il ne pourrait pas davantage vivre hors de cette connexion, sans laquelle il retournerait au Moyen Âge; il devrait renoncer aux progrès techniques et scientifiques, médicaux de l'Occident. L'affaire de tous est maintenant d'organiser au mieux cette interdépendance irréversible; si l'on veut, bien sûr, vivre dans un monde moins agité et moins périlleux. Comment?

LES LANGUEURS DE L'EUROPE...

On reparle à nouveau d'un déclin de l'Occident, USA y compris, un thème qui fut dans l'air il y a quelques décennies. L'Occident n'a pas l'air de se porter si mal, et surtout, si déclin il y a, la distance entre lui et le reste du monde demeure considérable. C'est vers l'Occident que se dirigent les mouvements de population, et non l'inverse. Les étudiants du tiers-monde vont de préférence dans les universités occidentales. La prospérité va croissant en Occident, c'est rarement le cas ailleurs. Bien que les sommets côtoient souvent les abîmes; Rome paraissait au faîte de sa puissance alors qu'elle commençait sa descente; Constantinople, qui a pris le relais, a été écrasée par les Turcs; plus près de nous, à la veille de sa chute, l'empire austro-hongrois semblait invulnérable ; l'URSS, deuxième puissance mondiale, s'est effondrée. À qui le tour ? Telle est la roue de l'histoire, qui porte une nation aux nues puis la précipite dans les ténèbres, pour laisser la place à une autre. Disons que l'Europe est un souverain déprimé qui souffre de quelques langueurs, et que cela n'est pas un signe de santé. Le mal vient de loin. À côté de ses éclatantes réussites, l'Europe n'a cessé de s'auto-détruire. L'épopée napoléonienne a laissé la France exsangue ; la guerre de 1914-18 a privé la France et l'Allemagne des énergies créatrices d'une génération ; ce fut pire avec celle de 1939-45, qui a saigné tout le continent. Il n'est pas étonnant qu'il en ait conservé une anémie pernicieuse. On l'a bien vu lors des conflits coloniaux qui ont suivi ; et il a fallu le secours des Américains, avec leur plan Marshall, pour faire redémarrer l'économie. Les maux qui le rongent sont désormais reconnaissables ; on peut les résumer en ce triptyque : épuisement démographique-immigration-métissage.

Récapitulons : en premier lieu, ces désastres démographiques se sont poursuivis sinon aggravés. Peut-être est-ce le signe d'un déclin naturel, en effet, de la société européenne, à l'instar de ces troupeaux de baleines qui viennent, sans raison apparente, s'échouer et mourir sur le rivage. Ou, moins mystérieusement, le travail des femmes et leur participation, légitime, aux activités sociales les a détournées de la procréation. Comme les femmes ne peuvent matériellement pas, en même temps, travailler et élever des enfants, et comme la société n'a rien prévu pour les soulager dans ces deux tâches incompatibles, beaucoup choisissent de ne pas enfanter. Le résultat en est, grâce également aux progrès de la médecine, le vieillissement global de la population. D'où l'incapacité d'assurer les autorégulations nécessaires à la simple survie, par exemple le paiement des retraites, le coût de la santé, l'accomplissement des tâches les plus humbles, dont ne veulent plus les jeunesses trop gâtées. Comment y pourvoir sinon en faisant appel à l'immigration ? À la traîne des industriels, et de leurs besoins en main-d'œuvre, craignant d'affronter leurs électeurs, les politiques cultivent l'ambiguïté. Le problème de l'immigration est pourtant simple : les pays riches et vieillis ont besoin d'importer un complément démographique, et les pays pauvres ont besoin d'exporter une partie de leurs jeunesses inemployées et par la suite turbulentes. Comment lutter contre cette double nécessité ?

Or l'immigration en nombre engendre cet autre résultat : le métissage. Peut-être sommes-nous entrés, en tout cas, dans une ère nouvelle de métissage généralisé. Il est possible que le métissage soit déjà implicitement accepté par les Occidentaux, sans qu'ils en voient clairement les conséquences sociales, politiques et culturelles sur la physionomie actuelle de leurs nations. La récente polémique en Italie, pays du Vatican, autour de la plainte d'un converti à l'islam contre l'accrochage du crucifix dans les écoles est significative. Peut-être que le métissage aurait été mieux digéré par l'Europe si elle était encore pourvue d'un système de valeurs auquel elle croie fermement, et qui inspire ses conduites. Or les deux grandes idéologies qui ont occupé les esprits et influé sur les conduites, le christianisme et le marxisme, sont moribondes. Pour une majorité probable de la population, le christianisme n'est plus qu'un rituel, au mieux un fonds culturel, à peine plus prégnant que l'hellénisme ; Jupiter, Vénus, Hercule sont presque aussi familiers, aussi présents dans le langage que les saints chrétiens. Les papes continuent d'appeler à l'évangélisation du monde, comme si n'existaient pas la Chine, l'Inde, l'Afrique noire où l'islam a stoppé l'expansion du christianisme. Mais qui les écoute ? Le marxisme s'est déconsidéré au moins dans ses applications communistes : il avait promis la prospérité économique et la libération des esprits pour tous les hommes, et il a apporté la famine, le totalitarisme et les camps. On se demande, comme pour les chrétiens, si les marxistes croient encore en un avenir propre. D'où l'effondrement des partis communistes et l'utopique résurrection des trotskistes, cette avant-garde archaïque sinon rétrograde. Après s'être constamment trompés, sur Staline, Tito, Castro, Mao, et même Kho-meyni, les voilà qui confient aux peuples du tiers-monde la mission révolutionnaire dont les ex-prolétaires ne veulent plus ; car on n'est plus révolutionnaire quand on est nourri, soigné, que l'on est propriétaire de son appartement, d'une voiture et même quelquefois d'une maison de campagne. Seulement les peuples du tiers-monde ont choisi, pour le moment, le nationa-lisme et non le socialisme, la religion et non la philosophie des Lumières.

C'est ce vide qui a laissé croire aux intégristes musulmans qu'ils pouvaient le remplir. L'Europe ne se défend plus spirituellement, ni même mili-tairement, puisqu'elle confie sa défense aux États-Unis et qu'il n'existe toujours pas une pen-sée capable d'embrasser les complexités de la nouvelle conjoncture, ni surtout de proposer quelque solution. Face à un islam encore sûr de ses valeurs à cause de sa relative jeunesse, l'Europe n'a plus d'éthique capable de fournir de nouveaux points de repère. Sceptique et bla-sée comme une vieille personne, elle professe un aimable laxisme ; or l'incivisme n'est pas la liberté mais l'anarchie. L'Europe se contente, dans tous les domaines, de ruser, en attendant l'épuisement des puits de pétrole et la décou-verte d'énergies de substitution. Mais il n'est pas sûr que ces atermoiements suffiront à calmer les impatiences avides du tiers-monde et l'ardeur meurtrière des extrémistes.

En somme, comme dans les parties de ping-pong, les chances du décolonisé résident principalement dans les fragilités de l'ex-colonisateur. Encore faut-il qu'il ne joue pas aussi mal que son adversaire-partenaire.

... ET LES CHANCES DU DÉCOLONISÉ

Là encore récapitulons passifs et actifs : le tiers-monde demeure dans l'ensemble affligé d'une écrasante pauvreté, soumis à la corruption et au despotisme, lesquels génèrent stérilité culturelle, humiliation et ressentiment, lesquels provoquent immanquablement la violence. Ce bilan est maintenant reconnu même par les quelques penseurs du tiers-monde qui osent s'exprimer : leurs sociétés sont malades.

Cependant elles ne manquent pas d'atouts. Elles disposent d'immenses richesses réparties sur d'immenses espaces, de populations surabondantes, qui leur permettent de pallier le déficit démographique de l'Occident, d'une présence, diplomatique et armée, dorénavant incontournable sur la scène internationale. Même si, avec la complicité des possédants, ces richesses se sont souvent transformées en freins dans le développement de ceux qui en sont pourvus. La démographie incontrôlable, qui permet d'exercer une pression sur l'Occident, est également devenue un embarras grandissant pour les pays sous-développés. Les instances internationales, qui auraient pu formuler un véritable droit international, mettre au point des instruments propres à son application, et des sanctions contre les manquements, sans lesquelles le droit demeure vain, se sont rapidement transformées en des champs clos pour les conflits d'intérêts, les coalitions douteuses et les rapports de forces.

Toutefois, on ne peut pas reprocher au tiers-monde de ne pas avoir recherché des modèles de développement qui pourraient le sortir de ces impasses. Il y en a eu, avec des variantes et des mixtes, principalement deux : le libéralisme économique et le socialisme marxiste. Or jusqu'ici ils ont été tous les deux décevants.

Le libéralisme économique propose une multiplication des biens de consommation et leur distribution au plus grand nombre, grâce à la liberté des échanges, assurées par une démocratie politique. Comment ne pas souscrire à ce programme, s'il était réellement réalisé? Mais il suppose une égalité relative entre les partenaires; ce qui est très loin du compte, à l'intérieur des nations comme entre elles. Malgré des progrès substantiels, la pauvreté continue d'affecter la plupart des pays du tiers-monde. Ceux qui ont choisi le libéralisme économique ne se sont pas sensiblement développés, au contraire même quelquefois. Dans la jungle qui règne dans les relations économiques internationales, le pot de terre tiers-mondiste se fracasse régulièrement contre le pot de fer du commerce capitaliste. Le tiers-monde n'est pas armé pour cette liberté qui tourne toujours à l'avantage de plus puissants.

Ceux qui ont tenté une expérience communiste ou communisante n'y ont pas davantage trouvé la prospérité. Le Vietnam, qui semblait le plus heureusement représentatif du monde communiste, se contente de vivoter. La Corée du Nord est dans la misère alors que la Corée du Sud capitaliste connaît la prospérité. Excepté l'Afrique du Sud où l'ANC marxiste participe au gouvernement, aucun parti communiste d'Afrique ou d'Asie n'a pu, hors de la protection de l'URSS, conserver durablement le pouvoir. Faut-il s'étonner si la compétition entre le communisme et les structures traditionnelles, favorisées par la résistance des féodalités, s'est régulièrement soldée par la victoire des secondes?

On ne peut pas, non plus, reprocher aux leaders du tiers-monde d'avoir recherché une autre issue que ces deux solutions, qui semblaient en outre être spécifiquement occidentales. Malgré les apparences, l'Europe entendait rester chrétienne. Le marxisme s'est en outre transformé en une religion nouvelle, dogmatique et exclusive, sans les séductions habituelles des religions, les rituels rassurants et les espérances mythiques.

Mais alors, religion pour religion, pourquoi ne pas revenir en effet à la sienne, à laquelle on reste, malgré tout, viscéralement attaché ? En Amérique latine les mouvements de renouveau chrétien, comme la « théologie de la libération », sont en fait des retours à la lettre des Évangiles, comme si, par l'intermédiaire des textes sacrés, Dieu guidait les révolutionnaires. Dans le monde arabo-musulman, l'intégrisme est une tentative théologique et politique de résoudre tous les problèmes par un retour à la pure tradition primitive. Mais l'idée même de retour résume les faiblesses de ces tentatives ; on ne retourne jamais nulle part. L'intégrisme est inutilement régressif, totalitaire et répressif. Il y a chez les libéraux et les marxistes une ambition universaliste, le plus souvent détournée au profit de leurs intérêts ; l'intégrisme tourne le dos même à leurs acquis : une scolarisation généralisée, et neutre au moins dans son ambition, la promotion de l'individu, la liberté de la pensée, l'importance de l'économie, l'introduction des femmes dans les circuits sociaux. La formule-étendard des « Frères musulmans » égyptiens, des khomeynistes iraniens comme du Hamas palestinien : « Tout est dans le Coran », résume les ambitions et les limites de l'intégrisme. D'évidence tout ne peut être dans un texte rédigé il y a plusieurs siècles, même accompagné de ses commentaires. Idem d'ailleurs pour les Évangiles ou la Thora. Hormis quelques principes généraux, il faut s'en remettre à la «loi de Dieu», c'est-à-dire aux injonctions des prêtres, qui ne sont pas spécialement experts dans les problèmes contemporains. Dieu ayant toujours et immuablement raison, pourquoi recourir à des lois humaines, fragiles et changeantes? Mais, du même coup, l'intégrisme détourne de la recherche de solutions adéquates à la conjoncture actuelle. «Je suis musulman avant d'être nationaliste», déclarait Ben Bella, le premier président de la république algérienne; c'était faire bon marché des problèmes spécifiques de la nation, en particulier de l'économie, et ce fut un désastre de plus. Le retour aux valeurs traditionnelles de l'islam paraît plus important que le développement économique; hormis sa bonne volonté charitable, l'intégrisme aboutit à ménager les privilèges des féodaux et des possédants.

Loin d'être un modèle qui remplacerait heureusement les deux autres, l'intégrisme est encore plus inadéquat à la solution de l'immensité des problèmes qui se posent aujourd'hui à l'islam et au monde. Le retour à l'islam est au contraire un enfermement totalitaire. Comme tout fanatisme, il oppose sa totalité contre le monde extérieur, considéré comme une totalité hostile et polluante, dont il doit préserver les siens, même en combattant les tièdes. Ne pouvant satisfaire les désirs, il sera austère et exigera de tous l'austérité; or, ne pouvant persuader, il contraindra; il cherchera à maîtriser tous les aspects de la vie individuelle et collective, à traquer les gens jusque dans leur conscience. C'est pourquoi il a si fort à faire avec la sexualité. Il en vient à envisager, si nécessaire, la reconquête de toute la terre, pour la débarrasser de l'hérésie. Dire que tout est dans le Coran signifie aussi qu'il n'y a rien au-dehors; que quiconque ne suit pas le Coran se place hors de l'humanité et mérite toutes les violences. Ce que font souvent les religions, il est vrai; ce qu'a fait le christianisme jusqu'à l'heureuse séparation du religieux et du politique, dont le résultat a été la démocratisation décisive de l'Europe, la liberté critique et l'initiative, condition de l'essor des sciences et des techniques. En somme, l'intégrisme est conduit, à l'intérieur comme à l'extérieur, à une guerre permanente.

VERS UN AUTRE MONDE?

Pouvons-nous, malgré tout, espérer l'avènement d'un monde différent, où nous arriverions à mieux vivre ensemble? Mais comment? Et à quel prix? Ici nous quittons le constat pour le vœu. J'ai assez insisté ailleurs[1] sur cette nécessaire distinction pour m'y attarder; disons seulement

1. Voir mon *Portrait du colonisé*.

que les pages qui suivent relèvent davantage de l'hypothèse que des certitudes.

D'abord, insistons une fois de plus sur une évidence : il ne suffit plus de déplorer la pauvreté, il y a maintenant urgence, il faut s'y attaquer. Ceux qui ne la considèrent pas sérieusement ne sont pas des partenaires sérieux dans ce colloque mondial. Certes la pauvreté n'est pas tout dans cette affaire ; nous l'avions déjà découvert à propos de la décolonisation, où les revendications nationales l'emportaient fréquemment sur toutes les autres. Les terroristes sont souvent issus des classes aisées, leurs chefs comme les exécutants. Mais c'est la misère qui fournit les masses de manœuvres, faciles à duper, incontrôlables et prêtes à toutes les aventures. Ces foules d'hommes sans femmes, exaspérés par une double faim, celle de pain et d'amour, comment ne seraient-elles pas hystériques ? Peut-être arriverions-nous un jour à construire une société où personne ne souffre d'inanition d'aucune sorte. Il est de bon ton, en Occident, de déplorer les méfaits du développement et de la consommation excessive. Ce sont là des propos de nantis, qui dénoncent des excès... dont ils sont presque seuls à profiter. Il n'est pas nécessaire de disposer d'une télévision par pièce ou de changer de voiture tous les ans ; mais on est trop loin du compte partout dans le monde, où manquent même les rations de survie et les médicaments de base. La pauvreté est en outre relative : côtoyant l'opulence elle engendre l'envie et la colère. Certes il y faudrait une régulation universelle, mais condamner l'industrialisation ou l'agriculture scientifique (les OGM?), qui seules permettent l'abondance, c'est abandonner les gens à leur dénuement.

On n'a pas tout dit cependant si l'on n'explique pas pourquoi le tiers-monde ne se développe pas ou si lentement. Lors de la rencontre avortée de Cancún, on a légitimement stigmatisé la dureté dans la compétition entre les nations, surtout entre riches et pauvres, mais pas du tout la corruption qui sévit partout. C'est qu'il aurait fallu dénoncer leurs dirigeants, qui les représentaient : allaient-il s'accuser eux-mêmes? Or la corruption est l'une des causes majeures de la stagnation du tiers-monde ; elle stérilise tout effort et anéantit ses résultats. C'est elle qui empêche l'argent gagné dans le pays de s'y investir, qui engraisse les paradis fiscaux à l'étranger, ou le patrimoine immobilier des possédants dans les capitales occidentales; des rues entières de Londres seraient ainsi, dit-on, par l'intermédiaire de prête-noms, aux mains d'investisseurs du tiers-monde. Il existe une complicité objective entre les privilégiés, par-delà les frontières et les continents. Pourquoi changeraient-ils une situation où ils trouvent tous leur compte? Il faudrait mettre au jour les secrètes complicités politico-pétrolières. Le blanchiment d'argent ne profite pas qu'aux mafias ; quels profits y trouvent les banques ? Les USA, « champions de la démocratie », la Russie ex-« patrie des travailleurs », la France, « missionnaire des droits de l'homme » sont, en échange de mannes substantielles, les trois premiers fournisseurs mondiaux en armes, qui serviront à semer la mort et à conforter les tyrannies. Que penser de ces dirigeants tiers-mondistes qui dépensent des sommes colossales pour acheter des armes au lieu de se procurer des vivres et des médicaments, qu'ils préfèrent mendier ? Comment ose-t-on parler de morale dans les affaires internationales, ou même nationales, telles qu'elles sont aujourd'hui gérées ? Les belles déclarations d'intention sont de l'hypocrisie si elles ne se traduisent pas par des bouleversements de cet ordre inique.

Il faut enfin en venir à l'essentiel : rien ne peut remplacer la prise en main des peuples par eux-mêmes. Ils doivent récupérer leurs richesses et, pour cela, commencer par se débarrasser des *raïs* et des *caudillos,* putchistes et complices des possédants, internes et externes, des *lider maximo,* titre comique de Fidel Castro, et des *combattant suprême,* titre paranoïaque de Bourguiba vieillissant, ainsi que des imams politiciens et des mythes compensateurs qui perpétuent la stagnation sinon la régression. C'est seulement cette liberté retrouvée qui permettrait le dosage pragmatique de la part nécessaire de libéralisme économique et celle d'une économie dirigée, selon les besoins spécifiques de chacun et de chaque situation.

Tout le reste est illusoire ou aléatoire : l'« aide », le « partenariat », l'« effacement des dettes », etc., fussent-ils désintéressés, ce qui est douteux. On avait inventé naguère la formule de l'« aide liée », expression dont le cynisme à peine voilé, suggérait : « Je vous avance de l'argent à condition que vous le dépensiez en achats de *mes* produits », autrement dit qu'il retourne dans mes caisses. Le « partenariat », dont on parle beaucoup ces derniers temps, n'a de sens que si les deux partenaires sont de force sensiblement égale, ce qui n'est précisément pas le cas ; sinon le plus fort imposera toujours ses vues et ses intérêts. L'« effacement des dettes », si généreux soit-il en apparence, ne fait que repousser le problème. Qu'est-ce qui empêche les pauvres d'emprunter à nouveau, et de continuer à se remettre dans leur dépendance aux riches ? L'appât du gain a rendu les prêteurs imprudents ; les emprunteurs sont des irresponsables, qui savaient qu'ils ne pourraient pas rembourser. Attendre son salut du dominant, et maintenant de l'ex-dominant, est aussi illusoire que, pour les femmes, d'attendre leur libération de la bonne volonté masculine. L'aide internationale est une mendicité déguisée, or la mendicité ne fait pas disparaître la pauvreté ; elle cultive au contraire l'irresponsabilité.

Humiliés, exaspérés par ces impossibilités, les intégristes ont choisi la confrontation violente, c'est-à-dire la guerre ; mais cette guerre, ils n'ont aucune chance de la gagner. Mais s'ils ne gagnent pas la guerre, ils pourraient, il est vrai, pourrir la paix. C'est une entreprise de gribouilles ; ce serait rendre le monde invivable à ceux mêmes qu'ils prétendent défendre. L'heure est venue pour le monde arabe de retrouver une juste place dans le concert des nations ; il a l'argent, les hommes, la complaisance des autres nations musulmanes, une opinion mondiale compréhensive, pourquoi s'épuiserait-il dans un conflit permanent où il n'a rien de plus à gagner ? Les menées intégristes, outre leurs fantasmes, sont à cet égard catastrophiques, et contraires aux intérêts mêmes des peuples arabes. En fait, les intégristes veulent, par la violence, agrandir le fossé entre les peuples. Sans doute la majorité discrète souhaite une intégration sans troubles excessifs ; mais ce sont souvent les minorités actives qui font l'histoire, si elles ne sont pas bridées par la majorité. La majorité arabo-musulmane arrivera-t-elle à s'imposer face aux menées de ses intégristes ? À se persuader que leur victoire nous replongerait tous dans les ténèbres de l'histoire ? Le double projet des intégristes est maintenant évident : détruire un à un les régimes arabes et, simultanément, harceler l'Occident, jusqu'à la confrontation globale entre le monde arabo-musulman et l'Occident. La réussite relative des intégristes est d'avoir mis au point un cercle infernal : la terreur contre les Occidentaux génère une méfiance contre tous les Arabes et cette méfiance alimente le ressentiment contre tout l'Occident. La majorité arabo-musulmane arrivera-t-elle à surmonter ce dilemme ? Elle ne peut, en tout cas, souhaiter vivre en symbiose avec l'Occident et avoir de l'indulgence pour ceux qui en veulent la destruction. Le destin normal et souhaitable de tout immigré est de se transformer en simple citoyen, à condition qu'il n'apparaisse pas comme un ennemi de son pays d'accueil.

Si les hommes étaient raisonnables, sinon rationnels, ils verraient qu'ils ont intérêt, puisqu'ils sont destinés à vivre ensemble, à rechercher ce qui les rapproche plutôt que ce qui les différencie, donc les oppose : autrement dit des *dénominateurs communs*. Ce n'est pas le lieu d'énumérer en détail ce que pourraient en être les modalités pratiques ; il faut bien laisser quelque chose aux politiques. Et ce n'est pas le dessein de ce livre qui se veut surtout une description ordonnée. Nous avons cependant assez suggéré qu'il faut commencer par l'éradication de l'extrême pauvreté grâce à une plus juste répartition et une meilleure gestion des richesses ; lesquelles devront appartenir à tous et non à quelques-uns ; y compris les énergies naturelles. La suppression radicale de la corruption et du despotisme en sont les conditions préalables. La promotion d'une morale universelle est évidemment à ce prix. Cette morale comportera nécessairement la laïcité, car, sans elle, c'est encore la séparation et la guerre. La laïcité n'est pas l'interdiction de pratiquer les rites religieux, ce qui serait une autre tyrannie ; elle est un accord institutionnel pour protéger la liberté de pensée de tous, y compris des agnostiques, contre les ingérences des Églises et les exigences de tous les fanatismes. Il faudrait, pour cela, en finir avec la confusion entre les appartenances religieuses et les appartenances sociales, entre la religion et la culture, entre l'islam-culture et l'islam-démographie. Un Arabe n'est pas indissolublement un croyant islamiste, pas plus qu'un juif n'est obligatoirement un habitué de la synagogue, ni un Français un paroissien fidèle. Il faudrait inventer des termes nouveaux qui expriment ces distinctions. La laïcité est la condition première d'un universalisme véritable, celui qui, sans traquer les singularités, les transcende. Cela signifie également un véritable droit international, non truqué comme il l'est souvent, qui, sans méconnaître les traditions locales ou coutumières, s'impose à eux, avec des sanctions, et des forces pour les faire appliquer ; sans lesquelles il serait un vain formalisme. Il faut enfin une incessante pédagogie, de la maternelle à l'université, par le discours et par les actes, et au besoin les rigueurs de la loi.

Pour réaliser ce programme, il faudrait que nous nous convainquions tous de notre solidarité ; dans le monde qui se construit tous les jours, personne ne peut plus faire cavalier seul. La solidarité n'est pas seulement un concept philosophique et moral, c'est une nécessité pratique, sans laquelle nous vivrions dans une tourmente permanente. Contre les emportements des passions et les aveuglements des préjugés, suivre, autant que possible, les suggestions de la rationalité, condition de toutes ces mesures, mère du développement des sciences et des arts, et même d'une morale commune. Il faudrait enfin une véritable organisation internationale et en finir avec les instances partisanes qui empoisonnent l'ONU actuel.

Serait-ce, alors, la fin de la civilisation occidentale ? Peut-être au contraire sa véritable universalisation. Car le meilleur de l'Occident fera partie du patrimoine commun. Le tiers-monde ne doit pas le récuser parce qu'il vient de l'Occident. Faut-il récuser l'algèbre parce qu'elle a été transmise par les Arabes, l'imprimerie parce qu'elle a été inventée par les Chinois ? Il existe des acquis communs, définitifs, espérons-le : la promotion de l'individu contre l'emprise excessive des groupes, l'initiative, fruit de la liberté, le progrès, fruit des deux, une humanisation aussi étendue que possible des relations entre les groupes, une égalité des chances pour les femmes, le respect des minorités, une scolarisation générale, une médicalisation progressive, une proportionnalité entre les crimes et les peines; personne n'acceptera plus que les voleurs aient les mains coupées, que soient lynchées ou lapidées les femmes adultères. Et, puisqu'il s'agit ici principalement d'un portrait du décolonisé arabo-musulman, les Arabo-musulmans doivent reconnaître, et admettre, au contraire exact de l'intégrisme, que l'Occident fait dorénavant partie d'eux, comme l'Occident doit admettre que les musulmans font dorénavant partie de lui. Un jour peut-être il y aura un maire de Paris musulman, comme il y a déjà un maire de New York juif; et pourquoi pas un maire juif dans un pays arabe!

Mais pour avancer vers cette utopie il faudra que le partage des eaux ne soit plus entre les Arabo-musulmans en bloc et les non-musulmans en bloc, mais, parmi les uns et les autres, la même coalition des esprits libres contre les dogmatiques et leurs fanatismes. Car les sectateurs de Dieu ont trop souvent le diable au corps. Entre ces deux catégories d'hommes, ce devrait être le même combat à l'échelle de la planète entière, car il y va de notre salut commun.

Tout cela, avons-nous averti, est de l'ordre du souhait. Peut-être y a-t-il quelque naïveté à espérer que, dans un proche avenir, les uns sauront tempérer leur ressentiment, les autres leurs avidités. Le temps n'est peut-être pas assez loin où l'on visitait à l'Exposition universelle les indigènes à l'instar des singes dans les zoos, où l'on chantait *Trabaja la mujer*, où toutes les femmes étaient nommées Fatmas et les hommes Mohammed. Il est trop tôt pour que les Noirs puissent oublier l'esclavage ou les juifs la *shoah*. Il n'est pas sûr que les puissants aient vraiment compris qu'ils doivent dorénavant mieux répartir les richesses, même celles qu'ils produisent eux-mêmes. L'homme est comme tous les carnassiers, il défend jalousement le morceau de viande qu'il a sous sa patte. Mais aux décolonisés on doit rappeler qu'on ne peut pas vivre éternellement dans le ressentiment, surtout si l'on veut vivre ailleurs que dans son pays natal ; aux autres qu'ils ne pourront contenir longtemps l'agitation des affamés et des humiliés. Peut-être que les hommes sont sourds et aveugles à certaines évidences ; que l'histoire nous échappe largement et que nous n'avons d'autre issue que de laisser faire le temps, avec l'espoir qu'il aille vers un mieux. Mais si nous pouvions, si peu que ce soit, agir sur notre commun destin, y avoir quelque part, si minime soit-elle, nous serions inexcusables de ne pas l'avoir tenté.

Paris, 2003-2004.

POSTFACE

Décidément les hommes, comme les événements, sont largement imprévisibles. Je m'attendais à quelque émotion du côté des ex-colonisés, particulièrement des Arabo-musulmans. Or mes lecteurs ex-colonisés et leurs descendants ne furent apparemment pas scandalisés, pas même surpris par mon entreprise. Au contraire, ce fut comme s'ils l'attendaient ; l'un d'eux, journaliste de télévision, m'a déclaré : « Il y avait un livre à faire, vous l'avez fait ! » C'est pourquoi, à l'exception d'une radio connue pour la violence de ses passions, ils m'ont généreusement reçu et courtoisement écouté. Radio Beur, BRTV, la chaîne berbère, TV6, RFO m'ont consacré un temps d'antenne appréciable ; l'hebdomadaire *Jeune Afrique* une page entière, *Afrique-Asie* un long compte rendu… Certains se sont émus de ma dénonciation des silences, sinon des complicités de la plupart des intellectuels, et m'ont signalé de courageuses tentatives, celles de quelques associations laïques. J'en prends note avec plaisir et je souhaite qu'elles se multiplient.

Non; curieusement mes soucis vinrent d'ailleurs. Je mentirais en disant que je ne m'y attendais pas du tout; ce n'était qu'une confirmation, elle n'en fut pas moins amère. Je passe sur quelques pitoyables palinodies. Une semaine après la parution du livre, je reçois une invitation à passer sur l'antenne de Radio Libertaire. La veille, nouveau coup de téléphone : il n'y aura pas d'émission. Pourquoi? «Vous dites des choses insupportables à nos auditeurs. — Peut-être; mais laissez-moi m'en expliquer!» Non, c'est définitivement non.

Libération m'adresse un jeune homme qui me fait parler une après-midi; puis plus rien. J'envoie un mot au directeur du journal : il ne prend même pas la peine de me répondre. Lui non plus n'aura pas eu le courage d'honorer le beau titre de son quotidien.

Qu'avais-je dit? Qu'avais-je fait? Avais-je commis de graves erreurs sur les chiffres, les événements, les personnages? Non; j'avais pris soin, comme dans le *Portrait du colonisé*, de recourir aux sources les plus sûres. Il fallait bien croire que c'était mon interprétation qui heurtait. Je soutenais que le malheur actuel des populations du tiers-monde ne provenait plus seulement, certes, de l'action continuée des anciens colonisateurs, mais principalement des nouveaux dirigeants, dont je dénonçais la corruption et la tyrannie, lesquelles entretenaient une pauvreté paradoxale, même dans des pays riches, la stagnation des mœurs et l'émigration de masse.

Il faut croire que cela était intolérable ; comme si en dénonçant les dirigeants, j'insultais les peuples ; ce qui était exactement l'inverse. Car, en mettant en lumière ces carences, je crois au contraire contribuer à la démystification des esprits. Ainsi j'ai consacré quatre pages exactement au conflit israélo-palestinien. Ah ce conflit inépuisablement commode ! J'y ai déploré la condition des Palestiniens et appelé de mes vœux la création de leur État, ce que je fais depuis trente ans, alors que personne n'en voulait, y compris les États arabes (voir *Juifs et Arabes*, Gallimard, 1967). Mais je me suis demandé pourquoi une telle surestimation de cette affaire, avec ses 4 000 morts, déplorables comme toutes les morts, mais non comparables aux millions de morts du continent noir par exemple. Au moment où je rédige cette postface un massacre au Darfour a fait 30 000 morts et déplacé un million de personnes. J'ai suggéré que c'était l'un des alibis les plus efficaces des tyrans pour excuser leur immobilité, et la catalepsie en laquelle ils tiennent leurs peuples.

Non que la presse ait été avare de comptes rendus, au contraire ; elle savait bien que j'avais surtout formulé ce que tout le monde savait sans trop oser en parler, et que le livre dévoilait.

Alors elle a usé d'une ruse : elle a salué l'événement sans révéler son contenu ; excepté Jean Daniel qui, dans son éditorial, a confirmé l'exactitude de mes descriptions, elle a choisi de parler de l'auteur sans parler du livre. En somme le seul à en avoir vraiment parlé... c'est moi ; grâce aux interviews que l'on m'a offerts, généreusement il vrai. Surtout celui que j'ai eu avec le perspicace et courageux Makarian dans *L'Express*, qui m'a permis de souligner l'un des paradoxes majeurs actuels du monde occidental : c'est au moment où ses valeurs, culturelles, techniques et politiques, la démocratie, la condition des femmes, une laïcité au moins relative, s'imposent partout, qu'il se trouve le plus violemment contesté. Même *Le Monde*, qui m'a consacré une page entière sous la plume avisée de Catherine Simon, et que je ne saurais assez remercier, s'est attaché aux côtés pittoresques de ma vie et de mon itinéraire. Sur le livre lui-même, sur ses constats et mes interprétations, quelques lignes. Rien sur la deuxième génération, les fils des immigrés, dont je propose une peinture significative. Rien sur la double hésitation : celle des immigrés à s'intégrer et celle du pays d'accueil à les intégrer. Comme si l'on préférait m'en laisser la responsabilité, que j'assume bien entendu, pour ne pas se faire l'écho de faits dont j'aurais aimé qu'ils soient plus directement portés à la connaissance du lecteur.

Je me console en me disant que, par-delà ma

déception d'auteur, ce silence lourdaud suggère a contrario la justesse de mon propos. Y compris sur l'irresponsabilité, sinon l'aveuglement ou la couardise, de trop d'intellectuels, réfugiés dans des schémas périmés au lieu d'oser considérer une conjoncture inédite, et l'incapacité des politiques à faire face, sinon d'une manière rhétorique, à ce remue-ménage particulièrement périlleux et irréversible dans lequel se trouve dorénavant le monde.

Paris, décembre 2004

DU MÊME AUTEUR

Récits et nouvelles

LA STATUE DE SEL, préface d'Albert Camus; Ire édition Corréa, 1953; Gallimard, 1966; Folio, 1972.

AGAR, Corréa, 1955; Folio, 1984.

LE SCORPION OU LA CONFESSION IMAGINAIRE, Gallimard, 1969; Folio, 1986.

LE DÉSERT OU LA VIE ET LES AVENTURES DE JUBAÏR OUALI EL-MAMMI, Gallimard, 1977; Folio, 1989.

LE PHARAON, Julliard, 1988; Le Félin, 2001.

LE NOMADE IMMOBILE, Arléa, 2000; Poche, 2001.

TERESA ET AUTRES FEMMES, Le Félin, 2004.

Poésies

LE MIRLITON DU CIEL, poèmes illustrés de neuf lithographies d'Albert Bitran, Éditions Lahabé, 1985.

LE MIRLITON DU CIEL, Julliard, 1990.

Entretiens et dialogues

ENTRETIEN, Montréal, L'Étincelle, 1975.

LA TERRE INTÉRIEURE, Gallimard, 1976.

LE JUIF ET L'AUTRE, Christian de Bartillat, 1995.

L'INDIVIDU FACE À SES DÉPENDANCES, Vuibert, 2005.

ENTRETIENS SUR LA DÉPENDANCE, Vuibert, 2005

TESTAMENT INSOLENT, (à paraître).

Essais et portraits

PORTRAIT DU COLONISÉ, précédé de PORTRAIT DU COLONISATEUR, préface de Jean-Paul Sartre, Ire édition Corréa, 1957; Gallimard, 1985; Folio, 2002.

PORTRAIT D'UN JUIF, I-II, Gallimard, 1962,1966 ; Folio, 2002.

L'HOMME DOMINÉ (le Colonisé, le Juif, le Noir, la Femme, le Domestique), Gallimard, 1968 ; Payot, 1973.

PORTRAIT DU DÉCOLONISÉ ARABO-MUSULMAN ET DE QUELQUES AUTRES, Gallimard, 2004 ; Folio actuel, 2007.

LE RACISME (description, définition, traitement), Gallimard, Idées, 1982 ; Folio actuel, 1994.

JUIFS ET ARABES, Gallimard, Idées, 1974.

LA DÉPENDANCE (Esquisse pour un portrait du dépendant), préface de Fernand Braudel, suivi d'une *Lettre de Vercors*, Gallimard, 1979 ; Folio, 1993.

LE BUVEUR ET L'AMOUREUX, Le prix de la dépendance, Arléa, 1998.

CE QUE JE CROIS, Grasset, 1985.

L'ÉCRITURE COLORÉE OU JE VOUS AIME EN ROUGE (Essai sur une dimension nouvelle de l'écriture, la couleur), Éditions Périple, 1986.

BONHEURS, Arléa, 1992 ; Poche, 1998.

AH, QUEL BONHEUR !, Arléa, 1995 ; Poche, 1999.

L'EXERCICE DU BONHEUR, Arléa, 1998 ; Poche, 1998.

DICTIONNAIRE CRITIQUE À L'USAGE DES INCRÉDULES, Le Félin, 2002.

Divers ouvrages, dont :

ANTHOLOGIE DES LITTÉRATURES MAGHRÉBINES (en collaboration), Présence africaine I : 1964 – II : 1969.

LES FRANÇAIS ET LE RACISME (en collaboration), Payot, 1965.

ÉCRIVAINS FRANCOPHONES DU MAGHREB (en collaboration), Seghers, 1985.

LE ROMAN MAGHRÉBIN (en collaboration), Fernand Nathan, 1987.

À consulter sur l'œuvre d'Albert Memmi :

Guy Dugas, *Albert Memmi, écrivain de la déchirure*, Sherbrooke, Éditions Naaman, 1984.

Robert Elbaz, *Le Discours maghrébin. Dynamique textuelle chez Albert Memmi*, Longueil (Québec), Éditions Le Préambule, 1988.

Jean-Yves Guérin (sd), *Albert Memmi, écrivain et sociologue*, L'Harmattan, 1989.

Catherine Dechamp-Deroux (sd), *Figures de la dépendance. Autour d'Albert Memmi*, Presses universitaires de France, 1991.

M. Robequain, *Albert Memmi*, Arts et Lettres de France, 1991.

Edmond Jouve *et al.*, *Albert Memmi, prophète de la décolonisation*, Agence de coopération culturelle et technique, 1993.

Afifa et Samir Marzouki, *Une journée scientifique, Albert Memmi*, Publications de l'École normale supérieure, 1999.

Guy Dugas, *Du malheur d'être juif au bonheur sépaharade*, Éd. du Nadir, 2001.

D. Ohana, Cl. Sitbon, D. Mendelson, *Lire Albert Memmi, déracinement, exil, identité*, Éd. Factuelles, 2002.

Joëlle Strike, *Albert Memmi, autobiographie et autographie*, L'Harmattan, 2003.

Magid El Houssi, *L'aveu, le plaidoyer*, Bulzoni éd., 2004.

Impression Maury Imprimeur
45330 Malesherbes
le 18 février 2019
Dépôt légal : février 2019
1ᵉʳ dépôt légal dans la collection : avril 2007
Numéro d'imprimeur : 234175

ISBN 978-2-07-034201-3 / Imprimé en France.

349392